Doidos por discernimento

Doidos por discernimento

Doze sermões em torno de 1Reis 3

TIAGO CAVACO

MUNDO CRISTÃO

Copyright © 2022 por Tiago Cavaco
Publicado por Editora Mundo Cristão

Os textos bíblicos foram extraídos da *Almeida Revista e Atualizada*, 2ª edição (RA), da Sociedade Bíblica do Brasil.

Todos os direitos reservados e protegidos pela Lei nº 9.610, de 19/02/1998.

É expressamente proibida a reprodução total ou parcial deste livro, por quaisquer meios (eletrônicos, mecânicos, fotográficos, gravação e outros), sem prévia autorização, por escrito, da editora.

Imagem de capa: Matthew Brindle / Unsplash

CIP-Brasil. Catalogação na publicação
Sindicato Nacional dos Editores de Livros, RJ

C363d
   Cavaco, Tiago
   Doidos por discernimento : doze sermões em torno de 1Reis 3 / Tiago Cavaco. - 1. ed. - São Paulo : Mundo Cristão, 2022.
   112 p.

   ISBN 978-65-5988-096-6

   1. Cristianismo. 2. Salomão, Rei de Israel. 3. Bíblia. A.T. Provérbios - Crítica, interpretação, etc. I. Título.

22-76994   CDD: 223.7
                                          CDU: 27-243.65

Gabriela Faray Ferreira Lopes - Bibliotecária - CRB-7/6643

Categoria: Espiritualidade
1ª edição: maio de 2022

Edição
Daniel Faria

Revisão
Natália Custódio

Produção e diagramação
Felipe Marques

Colaboração
Ana Luiza Ferreira
Marina Timm

Capa
Ricardo Shoji

Publicado no Brasil com todos os direitos reservados por:
Editora Mundo Cristão
Rua Antônio Carlos Tacconi, 69
São Paulo, SP, Brasil
CEP 04810-020
Telefone: (11) 2127-4147
www.mundocristao.com.br

Para o Filipe e o Mark,
companheiros no corpo de Cristo

Sumário

Introdução   9

1. Encontrar Deus no sono para viver acordado   13
2. Quando os nossos adversários se apaixonam por nós   25
3. Maturidade é não ter medo de precisar de um pai   35
4. Somos fundamentalistas com o que fazemos mas fatalistas com o que pensamos que a vida faz em nós   43
5. Sem Deus somos crianças incapazes (uma definição possível de sacerdócio)   53
6. Um sábio que concede desejos é bom, mas desejar ser sábio é melhor   61
7. O melhor sucesso chama-se sabedoria   67
8. Viver o sonho é viver a promessa   73
9. Resolver problemas privados em público   81

10. Se a verdade não te assusta, estás longe dela — 89
11. Quando o teste de maternidade vem positivo — 97
12. Faz o teste da inteligência de Salomão — 103

Sobre o autor — 109

Introdução

Há livros que quase servem de lenços para as nossas lágrimas — são provavelmente esses os que nos mudam mais. Ao trazerem-nos a história de alguém, revelam também a nossa de uma maneira que, até aí, nos parecia escondida. Quando notamos que, ao ler a história da pessoa que esse livro retrata, estamos também a ler-nos a nós, sentimo-nos atropelados por uma verdadeira revelação: "Então este também sou eu e ainda não tinha entendido!".

Um dos livros que mais recentemente fez isso comigo foi o *Grandes esperanças*, do Charles Dickens. Acabei de o ler quando passava um período sabático no Mississippi, nos Estados Unidos (que, curiosamente, foi o palco do fim de *Arame farpado no paraíso*, o último livro que editei com estes amigos que tenho na Mundo Cristão), e os últimos capítulos tiveram de ser lidos com aquela dificuldade específica de procurar a nitidez da página impressa por entre as lágrimas. O Pip, a personagem principal, aprendia que, tantas vezes, o que parece não é e que os nossos maiores amigos podem vir dos velhos adversários. No meio de um enredo doido, ganhava um doloroso discernimento.

Naquela ocasião, também eu ficava, conduzido pelo ritmo raro de *Grandes Esperanças*, convicto de que a verdadeira inteligência depende de histórias meio tortas. Ninguém nasce naturalmente talhado para reconhecer a realidade mas, tragicamente!, quanto mais a tomamos por garantida, mais tontos permanecemos. Também é por causa disto que, para os cristãos, a salvação não depende de uma ideia mas de uma história. É preciso uma vida, tão banal quanto surpreendente como foi a do Nazareno de há dois mil anos, para que o Paraíso readmita gente com cheiro de Inferno. A existência mais recomendável é a que aceita a sua estranheza.

Um ano depois, e no meio de uma pandemia, a Igreja da Lapa, em Lisboa, buscava na história de Salomão algo não muito diferente. Num ano tão imprevisível como 2020, era mais fácil reconhecer que é difícil saber o que fazer. A vantagem de uma crise também é essa, de nos fazer descrer da nossa sabedoria prematura. E deparamos com o detalhe promissor de aquele jovem e inexperiente rei conseguir enquanto dormia o que nós não conseguimos acordados: ter discernimento. Quisemos seguir-lhe os passos numa série de mensagens que, usando uma expressão que a juventude portuguesa menciona quando encontra alguém com quem se identifica logo, simplesmente dizia: "sabes". Saberíamos nós mesmo?

Para quem segue Cristo, não há sabedorias individuais. Qualquer atividade legítima de discernimento é sempre fruto de uma comunidade. Se este livro produzir algum sentido, será também porque ele dependeu de muitos outros além do seu autor. Para além do que me ensina a Ana Rute e os nossos filhos, a Maria, a Marta, o Joaquim e o Caleb, este breve volume desenvolve-se a partir do pastorado que partilho com o Filipe Sousa e com o Mark Bustrum (o Filipe e o Edvânio Silva integraram também esta série de sermões, contribuindo para a reflexão agora impressa), e não é alheio ao que os diáconos e toda a igreja digeriram da palavra pregada. A refeição neste texto bíblico vem de uma receita coletiva.

Andamos todos doidos por discernimento, é fato. Talvez pior do que a falta que ele nos faz, é a doidice que disfarçamos na sua ausência. Que estas páginas não a escondam para que finalmente o encontremos.

1

Encontrar Deus no sono para viver acordado

> Dá, pois, ao teu servo coração compreensivo para julgar a teu povo, para que prudentemente discirna entre o bem e o mal; pois quem poderia julgar a este grande povo?
>
> 1Reis 3.9

Talvez pior do que pensar mal é pensar que se pensa bem. Para ser bem-sucedida a experiência sincera de ouvirmos as palavras de alguém, interessa sempre sabermos duvidar das nossas. Só quando hesitamos em relação à nossa suposta inteligência podemos eventualmente alcançar alguma e, assim, progredir sendo úteis a nós mesmos e aos outros. Esta também é a lição de anos de aconselhamento pastoral e da leitura do exemplo clássico de sabedoria bíblica de Salomão. Há pouco tempo a Igreja da Lapa estudou precisamente o terceiro capítulo do primeiro livro dos Reis para, atraídos pela inteligência magnética da história, avaliarmos e aprofundarmos o discernimento de cada um na comunidade. O que este livro também faz é adaptar essa série de mensagens além do formato de sermão.

Como entrada do relato bíblico na proverbial inteligência de Salomão, que todo o capítulo 3 de 1Reis ilustra, o verso 9 destaca-se. E destaca-se porque é um pedido. A pessoa inteligente que Salomão quer ser começa por atestar-se não na presunção mas no pedido. Salomão em oração clama: "Dá, pois, ao teu servo coração compreensivo para julgar a teu povo, para que prudentemente discirna entre o bem e o mal; pois quem poderia julgar a este grande povo?". Há muito neste requerimento, mas o fato de ele ser uma vontade por ter algo que reconhece não ter deveria captar a nossa atenção.

No entanto, antes de irmos ao conteúdo propriamente dito da oração de Salomão, interessa assinalar que, na experiência comunitária da Igreja da Lapa, o nosso interesse por discernimento tinha sido espicaçado pela leitura recente do livro dos Atos dos Apóstolos. Logo no seu explosivo início, no capítulo 2, quando o Espírito Santo é derramado no dia de Pentecostes, tinha-nos impressionado o fato de todo aquele acontecimento único também ter sido tomado como uma bebedeira coletiva. Não fosse o fato de o apóstolo Pedro se ter levantado e, de Bíblia aberta, interpretado aquela circunstância extraordinária, tudo se resumiria a uma extraordinária borracheira. A Bíblia ensina, portanto, que é fácil um milagre ser tomado como uma miséria.

O discernimento é exatamente a flagrante oportunidade de evitar que um milagre seja tomado como uma miséria, ou uma miséria seja tomada como um milagre. Esse mesmo discernimento não existe sem uma Bíblia aberta. A nossa obsessão pelas Escrituras também se confirma no arrojo desta tese: sem um acesso a Deus, através da leitura da sua revelação escrita, ficamos abandonados à nossa capacidade de conhecimento que, se formos sinceros, é capaz de compreender tudo ao contrário. Sem a intervenção sobrenatural de Deus, o maior triunfo pode ser tomado como uma tragédia. No fundo, isto funciona como uma verdadeira teoria do conhecimento — uma visão epistemológica. Por isso, se quisermos arriscar uma definição filosoficamente mais robusta, assumiríamos que somos, por natureza, epistemologicamente deficientes.

Em linguagem mais teológica, assumir uma deficiência epistemológica de raiz corresponde também a assumir que, enquanto protestantes, somos mais da Revelação Especial do que da Revelação Natural. Estes são conceitos largos e com séculos de história e debate, mas, em benefício da simplificação, diríamos que a Revelação Especial corresponde ao fato de Deus revelar-se especialmente na sua Palavra — a Bíblia. Claro que não negamos que Deus também se revela naquilo que criou, no Universo à nossa volta — a Revelação Natural. Para indicarmos um texto do Velho e do Novo Testamento, encontramos, por exemplo, no Salmo 8 e em Romanos 1 sinais de que a natureza é também uma espécie de livro divino, onde verdades estão em exposição para qualquer pessoa atenta.

Mas a verdade é que, se a tradição católica romana tem um carinho especial pela Revelação Natural, nós, enquanto protestantes, não negamos a nossa preferência pela Especial, e daí o nosso bibliocentrismo (há quem nos alcunhe depreciativamente como praticantes de biblicismo — para mim é um elogio). Por vezes, basta um versículo para um evangélico apostar nele a sua vida inteira. Se a nossa obsessão pelas Escrituras é um pretexto para nos catalogarem de simplistas, a verdade é que a aposta na nossa capacidade de compreender o que está à nossa volta não nos parece um simplismo menor. Em termos práticos, ser mais da Revelação Especial implica ter como mais seguro o que em comunidade concluímos acerca da Bíblia, do que qualquer outra compreensão, seja ela bem-intencionadamente mais dependente de conhecimentos tidos por científicos, seja até interpretações de sinais divinos extraordinários. Acima de uma grande ciência ou de um grande carisma, confiamos na Bíblia.

No caso que é o alvo deste livro, Salomão, ele é dado como exemplo precisamente porque não confiou na sua capacidade natural de compreender. Salomão, que nas páginas da Bíblia também nos impressiona pela sua ciência e carisma, confia noutras qualidades. Quem confia na sua compreensão natural, tende a precisar da ajuda de Deus para pouco. Salomão não é na Bíblia um grande pensador porque pensou que o seu pensamento era um bom ponto de partida. É o oposto: a autodesconfiança oferece-lhe a leitura mais lúcida acerca de si mesmo, que é a que não presume grandes capacidades antes do tempo.

Quando tratamos de assuntos epistemológicos, acerca do que somos ou não capazes de conhecer e compreender, acabamos inevitavelmente também a falar do que achamos acerca de nós próprios — o que conhecemos acerca da nossa alma. Nessa medida, falamos também de psicologia (o *logos* da *psyché*). Resumindo muito matérias que são diversas e com longos percursos, devemos reconhecer em Sigmund Freud um pai do que hoje se chama a psicologia moderna, enfática na ideia de que o que de mais profundo existe em nós não é necessariamente o que está na nossa consciência. Pelo contrário, Freud e família sugeririam que o mais profundo em nós é o que, estando cá dentro, nos é subterrâneo, tornando-se mais visível quando, ironicamente, os nossos olhos se fecham: são, em grande parte, os sonhos a melhor sabedoria sobre quem somos.

Depois de décadas de influência maioritária da psicanálise freudiana, houve uma reação a partir da segunda metade do século 20, reação essa que, de certo modo, reabilitava o consciente. Aliás, o papel do homem deveria ser precisamente o de compreender ativamente os padrões da sua vida para superar as dificuldades que atravessasse — era hora de acordar, cheirar o café e usar o melhor desse despertamento. A esta abordagem chamou-se fundamentalmente psicologia cognitiva, apostada em terapias que responsabilizam as pessoas em relação às mudanças necessárias que a vida nos impõe. A psicologia, como qualquer área de estudo, divide-se entre escolas de pensamento, partidos e preferências (quem se queixa de teólogos, precisa lidar mais com psicólogos...).

Não é disparatado constatar que a Bíblia e a Escola Freudiana podem ter coisas em comum. Afinal, Freud foi educado no judaísmo e, ao rejeitá-lo enquanto proposta religiosa, não deixou de permanecer com enormes suspeitas acerca das nossas capacidades racionais de origem. Quanto mais racionais julgamos ser, mais enganados podemos estar acerca de nós próprios — concorda o Velho Testamento e concorda Sigmund. Nessa medida, não é de todo casual que Deus goste de intervir no sono, que é o período em que menos atrapalhamos com a nossa suposta racionalidade. A Bíblia não esconde o prazer de relatar prodígios que podem acontecer quando dormimos — a mulher foi criada assim, com Adão anestesiado, e, no próprio caso de Salomão, seremos levados a outro episódio de promissor apagamento.

Não é também disparatado dizer que existe muito em comum entre a Escola Cognitiva e a Bíblia. Afinal, o que somos não fica trancado num mundo distante de desejos reprimidos no sono. Nessa medida, somos chamados a mais do que apenas tentar decodificar sonhos e experiências do nosso passado como alavancas inclementes da personalidade que arrastaremos até ao final da vida. Se, de fato, pudermos identificar como os nossos comportamentos tendem a mostrar coisas acerca de nós que não admitimos facilmente, teremos um incentivo para as mudanças necessárias. Mas, também é certo que, com tudo o que é um contributo da psicanálise freudiana e das terapias cognitivas, a Bíblia vai além.

Quando a Bíblia se abre para nos mostrar o que a verdadeira sabedoria é, ela simultaneamente diz que não basta estar acordado, confiando nas nossas capacidades intelectuais; ela também nos diz que não podemos adormecer, não usando as capacidades que nos são dadas. Tendo em conta estas matérias da psicologia, podemos inventar uma definição para o que o discernimento é aos olhos da Bíblia: ter discernimento é saber que até quando me julgo muito acordado, posso estar a dormir, e discernimento é não fechar os olhos às capacidades que Deus me deu. O discernimento bíblico confronta-nos quando vivemos com arrogância ou quando vivemos com anestesia. Não é por acaso que Salomão encontra Deus no sono para viver mais acordado do que os outros à sua volta. É um ciclo que se completa.

Salomão é um exemplo único de, adormecido, ser mais inteligente do que a maior parte das pessoas acordadas. E isso fá-lo acordar para a verdadeira sabedoria. Encontramos Salomão exatamente desejoso de ter um "coração compreensivo" (1Rs 3.9). Quando averiguamos essa expressão no hebraico original, vemos que ela pode também ser traduzida como "coração que ouve". E devemos ter o cuidado de notar que o coração não era tanto na cultura judaica o lugar das emoções (esse pertencia sobretudo às entranhas), mas o lugar da vontade. Isso significa que, na Bíblia, uma pessoa que quer compreender, uma pessoa de vontade, é, essencialmente, um ouvinte — alguém com um peito onde bate um coração que escuta.

O termo hebraico aqui em causa é *sama*. No hebraico *sama*, ser sábio, é fundamentalmente ouvir. Ser sábio é ouvir; ser sábio é receber a palavra. Se fomos criados pelo verbo divino, como a Escritura afirma, então compreender a palavra é ter acesso real à realidade por ela criada — somos obcecados pela palavra porque não só ela deu existência a tudo como se fez carne em Jesus Cristo para nos salvar. Tudo na vida é, no fundo, acerca dela. Salomão, animado por discernir o mundo em que vivia, inaugurou no seu coração a primeira manifestação de inteligência que começa sempre por acolher a palavra — ouvir.

Se esta é uma época em que queremos mesmo compreender melhor a realidade, é também uma época em que temos mesmo de ouvir melhor. A tese é radical mas sustenta-se: num mundo criado pela palavra, ouvi-la, como Salomão desejou ouvi-la, é o princípio da verdadeira sabedoria. Conhecer a salvação, Cristo, e caminhar nela, não pede menos do que a inteligência de ouvir. Logo, iniciamos uma caminhada em que questionamos o fato de sermos tão mais propícios a falar do que a ouvir, como Tiago dizia na sua carta (Tg 1.19: "Todo homem, pois, seja pronto para ouvir, tardio para falar, tardio para se irar"). Somos melhores a inundar os outros nas nossas opiniões do que a esvaziar-nos das nossas certezas precoces e realmente compreender a realidade à nossa volta. O exemplo bíblico de Salomão é extraordinário: ele não tem vergonha de assumir a sua imaturidade diante de Deus e pedir-lhe um "coração que ouve". Este livro serve para ser lido, naturalmente! Mas quer servir também para pôr os seus leitores a ouvir. Não há verdadeira leitura da realidade sem audição espiritual.

2
Quando os nossos adversários se apaixonam por nós

> Salomão aparentou-se com Faraó, rei do Egito, pois tomou por mulher a filha de Faraó e a trouxe à Cidade de Davi, até que acabasse de edificar a sua casa, e a Casa do SENHOR, e a muralha à roda de Jerusalém. Entretanto, o povo oferecia sacrifícios sobre os altos, porque até àqueles dias ainda não se tinha edificado casa ao nome do SENHOR.
>
> 1REIS 3.1-2

O início deste texto bíblico, nestes dois primeiros versos, mostra uma história em que escravos tinham passado a estrelas. Como assim? Ao sabermos que Salomão tinha casado com a filha do Faraó, sabíamos também isso mesmo: que, surpreendentemente!, a experiência do povo de Israel colocava-o agora numa posição de destaque contrastando com o passado, quando tinha sido dominado no Egito

— os velhos carrascos tinham passado a fãs. Mas o interessante nesta reviravolta também é o fato de o texto sutilmente nos perguntar até que ponto é que triunfos assim podem trazer sementes de tragédia. De que maneira é que ascendermos até que os nossos velhos adversários se apaixonem por nós pode ser um prenúncio de queda?

Salomão é agora o genro do Faraó (estima-se que possa ser Shishak, da 21ª dinastia, ou Psusenés Segundo — há relatos históricos do casamento de uma filha de um rei egípcio com um estrangeiro). Quem viu Israel e quem o vê agora! De escravo no Egito, este povo passa agora a uma importância tal que é o Egito que quer casar com ele. Mas, se no imediato isto pode parecer o tal grande triunfo, devemos ler tudo com atenção. Apesar de este terceiro capítulo de 1Reis enaltecer o discernimento de Salomão, isto também coincide com o início de um processo de queda espiritual, sobretudo tendo o elemento conjugal. Quanto mais casamentos Salomão celebra, mais complicado vai tudo ficar. Não dá para pensar nisto unidimensionalmente, como se tudo se resumisse a política externa. O triunfo de os nossos velhos adversários se apaixonarem por nós traz uma tragédia futura.

Por enquanto, este capítulo fundamentalmente elogia Salomão e a inteligência dele. Essa inteligência atinge uma capacidade diplomática única que se verifica nestes casamentos que estão a ser celebrados. O fato de a lei judaica não proibir um judeu de desposar egípcias (ao passo que o fazia em relação às mulheres das tribos de Canaã, em Êx 34.11-16 e Dt 7.1-3), não significa que o elogio à inteligência de Salomão aqui é o de casar com a filha do Faraó. Há uma nuance porque a sabedoria de Salomão é apresentada diante do fato de existirem duas obras para completar: a do Palácio e a do Templo (a "sua casa" e a "casa do SENHOR"). Estando Salomão casado com a filha do Faraó, parece que a prioridade não é apenas construir-lhe o Palácio, que se esperava em ocasiões assim (o que só vai acontecer vinte anos depois, em 1Rs 9.24), mas edificar também o Templo para Deus. Nessa medida (e tendo em conta o tom crítico do futuro capítulo 11), a possível má influência egípcia estava por enquanto em suspenso para que o holofote estivesse nas capacidades extraordinárias do rei israelita.

Tomemos atenção à segunda metade do verso: "Entretanto, o povo oferecia sacrifícios sobre os altos, porque até àqueles dias ainda não se tinha edificado casa ao nome do Senhor". Do mesmo modo como Salomão tinha de trazer a sua mulher egípcia para a Cidade de Davi, Jerusalém, enquanto o Palácio não era acabado, o povo tinha de fazer sacrifícios "sobre os altos", porque o Templo ainda não tinha sido construído. Há dois estados provisórios que merecem o empenho do rei: a morada da nova rainha e o lugar do louvor popular. Nesta fase, a tônica ainda não está nos erros de Salomão, que podem estar já aqui sugeridos mas não manifestos; a tônica está em Salomão aplicar-se em coisas positivas como a construção do Palácio, do Templo e da muralha. Ou seja, os erros espirituais de Salomão são provisoriamente tidos como inferiores às suas qualidades políticas e religiosas.

Logo, interessa-nos refletir em como as lições espirituais deste estágio da vida de Salomão se podem aplicar à nossa vida, sobretudo em dois pontos:

1) Como é que a nossa aplicação positiva e bem-sucedida a tarefas importantes pode, ainda assim, conter já em si o início de um declínio espiritual?

2) Como é que a nossa vida amorosa é um espelho mais realista de quem somos do que a

aparente competência que investimos no nosso trabalho?

Que a Bíblia mostra boa vontade para com as tarefas de Salomão, de erigir o seu Palácio, Jerusalém e o Templo, não há dúvida — ele é elogiado pelo engenho fora de série colocado nestas obras! Mas que a Bíblia não evita um olhar crítico para o que os casamentos de Salomão nessa fase de ascensão significarão, também não há dúvida. Logo, surge um aviso: como é que as tarefas importantes às quais nos dedicamos, geralmente profissionais, podem disfarçar a imaturidade dos nossos amores e paixões?

Em segundo lugar, não parece razoável esperar que não haja atrito entre Deus e a nossa vida amorosa. Se formos pessoas que não fingem amor, é improvável que os vários exemplos de amor que vamos sentindo não compitam entre si. Nessa medida, um cristão que espera harmonias nos seus sentimentos, ou não é grande cristão ou não sente grande coisa — o fato de Salomão, homem de sabedoria divina, ter caído tão desastradamente na sua vida amorosa só demonstra que o assunto não vai lá no poder da racionalidade da própria pessoa. Sem Deus, através da Igreja, podemos ter a certeza que a nossa capacidade de errar com as nossas paixões é exponencial.

A verdade é que o cristianismo tende a ser preso por ter cão e por não ter, quando o assunto passa pelo modo como os nossos amores e paixões se materializam. Num extremo, uns afirmam que é disparatado acreditar num Deus que, existindo, se interessa pelo modo como materializamos as nossas paixões, por exemplo, através das relações sexuais que temos; no outro, uns afirmam que a nossa vida sexual é de tal modo importante que nada pode sobrepor-se a ela, colocando-lhe barreiras. Uns acham que a fé não tem nada a ver com sexo; outros acham que o sexo é uma fé.

O astrofísico americano Neil deGrasse Tyson deixou implícito, numa entrevista recente, que acreditar num Deus interessado pelo modo como as criaturas procriam ou pelo que comem representava um estágio religioso primitivo. Resumindo: todos se chateiam quando o cristianismo se relaciona com o fato de existirmos em carne e osso. O cristianismo, todavia, afirma simultaneamente que o modo como os nossos amores e paixões se materializam é importante acerca de quem somos, e que não somos apenas o modo como os nossos amores e paixões se materializam. É uma afirmação que inevitavelmente conquista opositores mas que, ao mesmo tempo, nos redime para algo melhor do que esta tensão.

Em 1961, um psiquiatra chamado Eric Berne escreveu um livro com o título pouco apelativo *Análise transacional em psicoterapia*. Três anos depois fez uma versão mais acessível chamada *Os jogos da vida*, em que a tese central era a ideia de que qualquer ser humano, privado de uma relação física, e relação física também no seu sentido emocional, entra em declínio (por exemplo, os estudos apontam a diferença que há entre um bebé que recebe colo e outro que não). Esse declínio pode assumir na idade adulta a forma de psicoses, na ausência de um contato com outros que providencie significados à vida das pessoas. Berne chamava "unidades fundamentais de ação social" aos tais contatos com os outros que alimentam a nossa necessidade natural de intimidade — no fundo, jogos que se jogam entre pais e filhos, entre amantes e em qualquer interação social.

Dependendo da qualidade destes jogos, há relações que podem tornar-se autodestrutivas. Apesar do livro de Berne merecer a crítica ajustada, não perde pertinência a maneira como ilustra a herança freudiana de enquadrar como o nosso comportamento reflete as nossas necessidades emocionais, nem sempre raciocinadas. Não é possível viver sem que a nossa procura de intimidade junto dos outros revele quem somos espiritualmente, além do que já admitimos intelectualmente — se muita psicologia diz isto sem ter a Bíblia aberta, o que diremos nós que a temos? O sábio Salomão não é a história toda: aquilo que lhe aconteceu no coração, nos seus casamentos, denuncia o que no cérebro parecia estar tudo bem.

De escravo Israel passou a estrela — todos nós sentimos o apelo de uma história de amor emocionante a ponto de os nossos velhos adversários se apaixonarem por nós. Tantas vezes podemos desejar algo assim para nós... Mas a fé cristã pede o discernimento de não procurarmos o sucesso impressionante de os nossos adversários agora nos amarem. A fé cristã pede-nos a aparente derrota de aceitarmos o amor de um Deus que é, por enquanto e por nossa culpa, nosso adversário. É isso que afirma a cruz, onde Cristo vem até nós quando nós ainda estamos muito longe de nos sentir apaixonados por ele. Naturalmente buscamos por vitórias sobre os nossos velhos inimigos, mas sobrenaturalmente somos vencidos por um Deus que parece nosso adversário — cristianismo é também este paradoxo.

Que tal investir com tudo o que há na nossa cabeça e coração neste amor, que parecendo pouco promissor, tem o poder de nos transformar?

3
Maturidade é não ter medo de precisar de um pai

> Salomão amava ao Senhor, andando nos preceitos de Davi, seu pai; porém sacrificava ainda nos altos e queimava incenso.
>
> 1Reis 3.3

Salomão é descrito a partir do verso 3. Salomão ama ao Senhor e "amar ao Senhor" não é abstrato neste texto: amar Deus aqui é andar nos preceitos de Davi, pai de Salomão, o que, neste caso, significava guardar a lei judaica. Simplificando mais ainda: amar Deus queria dizer que se vivia fielmente o pacto que Deus tinha iniciado com o povo de Israel. O amor era muito, muito mais do que uma emoção; era uma mistura de compromisso com a família e o melhor tipo de patriotismo.

A descrição de quem Salomão é — um homem que ama Deus sabendo que isso acarreta cumprir a lei — é, no entanto, qualificada com uma conjunção adversativa, um "mas" (no caso da tradução aqui usada, um "porém"). "Salomão amava ao Senhor, andando nos preceitos de Davi, seu pai; porém sacrificava ainda nos altos e queimava incenso" (eram sacrifícios de animais). Salomão era exemplar ao não separar a sua fé do que fazia; no entanto ainda funcionava na lógica pagã que vimos no capítulo anterior.

Os estudiosos compreendem esta fase da vida religiosa de Israel como uma em que Deus condescendia com o fato de a adoração do seu povo ser feita tão imperfeitamente — afinal, as obras do Templo ainda não estavam prontas. E, uma vez mais, a ênfase do texto não está naquilo que é negativo, no sacrifício de animais que os judeus faziam fora do lugar indicado, mas nos aspectos positivos deste rei extraordinário que Salomão é. No caso do verso em particular, o foco está em Salomão amar Deus concretamente ao seguir a lei do pacto com Israel.

Podemos ir um pouco mais fundo no fato de ser dito que Salomão amava o Senhor. Em primeiro lugar, tenhamos em conta que amar Deus era o mandamento principal da lei hebraica: "Ouve, Israel, o Senhor, nosso Deus, é o único Senhor.

Amarás ao Senhor, teu Deus, de todo o teu coração, de toda a tua alma, e de toda a tua força" (Dt 6.4-5). Portanto, Salomão era um homem que dava ouvidos ao apelo do maior mandamento dado ao seu povo: ouvir e amar o Senhor com tudo o que há em nós.

Há aqui uma relação que importa explorar: amar é fundamental, mas não chegamos lá sem ouvir. Amar e ouvir, portanto. Não há amor sem audição porque, na Bíblia, amar depende não apenas do que sentimos mas também de tudo o que temos em nós além do que sentimos. Neste caso, colamos à necessidade de ouvir, que o texto nos apresenta, esta quantidade de coisas que também somos, descrita no "coração, alma e força". Salomão é um exemplo porque, ao amar Deus, nos recorda que isso é impossível sem ouvir e atender a revelação dele na Escritura.

Este texto, que está como pano de fundo da descrição de Salomão, também é usado numa passagem dos evangelhos, da vida de Jesus. Em Marcos 12.28-34 um escriba pergunta a Jesus qual é o principal mandamento. Naquele tempo, os rabis discutiam muito acerca da prevalência de uns mandamentos sobre outros, também pela relação que estabeleciam entre mandamentos escritos e mandamentos orais (e era no campo dos mandamentos orais que nasciam muitas regras que não chegavam a estar redigidas). Num mundo religioso que encontrava na Lei hebraica a existência de 248 preceitos afirmativos e 365 negativos, perfazendo um total de 613 (o mesmo número de letras usadas nos Dez Mandamentos!), podemos antever que o grau de discussão acerca da relação entre os imperativos éticos podia tornar-se, no mínimo, delirante. Por isso, quando o escriba fez esta pergunta a Jesus, de qual seria o maior mandamento, talvez o maior desejo não fosse ver um mandamento destacado entre os demais, mas o de encontrar o mandamento-base, e assim compreender a verdadeira substância que segurava todas as ordens divinas reveladas na Lei.

Tim Keller dizia acerca deste episódio que até compreendermos que tudo na Lei judaica é acerca do amor, nunca compreenderemos o que a Lei é. O amor é o que a Lei quer, até quando coloca as coisas pela negativa — todas as proibições têm de ser vistas desta perspectiva. No cristianismo, então, a prática da Lei faz parte do processo necessário de amarmos Deus — os judeus eram ensinados nisso e Jesus prova-o através da sua vida, dada em sacrifício a Deus por nós. O amor era a legislação judaica, e Jesus não somente a ensina como a encarna.

A ênfase do relacionamento da pessoa com Deus torna-se indissociável do amor. Se a *Shemá*, o texto de Deuteronômio 6.4-5, nos descreve, enquanto amantes de Deus, há muito dentro de nós — coração, alma, força — para amá-lo. O mais fácil na época em que vivemos é sentirmo-nos divididos, mas a Bíblia quer que pensemos ao contrário. O nosso amor por Deus tem de ser denso, intenso, e não fragmentado.

Quando convivemos com a Bíblia, não são alimentados os dilemas modernos coração/mente, acreditar/querer, pensar/sentir. Deus quer unir coisas em nós; é o diabo que trabalha para as dividir. O amor, enquanto fundamento da verdadeira adoração, junta o que o pecado separa. O amor que está em causa nestas questões não usa coração, alma e força para lutarem entre si, mas para sublinharem a potência da entrega total ao Criador. Amar Deus significa ir na direção de sermos inteiros.

Por outro lado, não deixa de ser interessante que Salomão fazer as coisas certas, amando Deus, seja descrito como "andar nos preceitos do pai". Nós, que vivemos hoje uma época especialmente entregue ao que se convencionou chamar, já no inglês original, de *daddy issues*, temos coisas para aprender. Olhando panoramicamente para toda a Bíblia, do Velho ao Novo Testamento, uma boa pergunta ocorre: se Davi exerce um exemplo para Salomão, até que ponto é que o texto nos quer dar uma fome por um pai ainda melhor?

James K. A. Smith escreveu recentemente um livro chamado *On the Road with Saint Augustine* [Na estrada com Santo Agostinho]. Num dos capítulos, fala sobre a questão do nosso relacionamento com os nossos pais. Escreve assim: "Ter saudades de pais ausentes é um assunto universal" — é menos acerca de pais que, na realidade, desapareceram de cena e mais acerca de todos os filhos que, de uma maneira ou de outra, se sentem sozinhos. "Não conseguimos deixar de querer ser vistos, conhecidos, amados." E, depois, Smith cita um livro de Paul Auster em que Auster recordava a felicidade louca de uma vez que, esperando por uma mesa num restaurante, ele e o pai combateram o tédio jogando bola juntos. Todos sentimos fome por pais, independentemente das experiências com os nossos serem mais ou menos positivas.

Smith escreve assim: "O que fazer dessa fome por pais se não uma vontade por ser visto e conhecido por aquele que nos criou?". Também é por isto que a parábola do filho pródigo se torna um texto tão forte e comovente. Smith sugere que todas as tragédias e todos os corações partidos desta vida não têm como ser resolvidos pelos nossos pais, por muito que eles se esforcem. O segredo é "conhecer um Pai que nos escolhe, que nos vê a uma grande distância e vem a correr até nós, dizendo: Estava à tua espera! [...] A melhor maneira de ser um pai é apontar a atenção dos nossos filhos além de nós, para um Pai que nunca falha".

Este é um apelo possível, vindo do texto bíblico: que alcancemos o verdadeiro discernimento que não corresponde a tomar a maturidade como uma autonomia. Jean Piaget era deslumbrado por estudar as crianças, que lhe mostravam que falavam mais em função do que sentiam do que propriamente do que sabiam — crescer era, de certa maneira, perder essa relação tão direta entre linguagem e dependência dos outros. Na Bíblia, Jesus elogia as crianças, não porque elas mantêm uma inocência espiritual que nós, ficando adultos, perdemos: devemos ser como as crianças porque elas não têm vergonha de precisar de um Pai. Quanto mais soubermos, menos embaraço teremos de assumir quanta falta sentimos do nosso Pai. Compreender a realidade, o verdadeiro discernimento, é caminhar no caminho de um Pai que não falha, o nosso Deus.

A sabedoria de Salomão não sai, portanto, elogiada numa perspetiva de ilustre autonomia. Pelo contrário, a inteligência do Rei é também a capacidade de persistir na melhor sombra do seu pai. Se começarmos por rejeitar a ideia de que cabe a cada um de nós criar o seu próprio caminho, já algum discernimento nos toca. O verdadeiro crescimento, sugere nestas páginas a Bíblia, é não deixar de imitar o melhor dos nossos pais. O indivíduo mais genial não teme assumir o infante carente que sempre será.

4

Somos fundamentalistas com o que fazemos mas fatalistas com o que pensamos que a vida faz em nós

> Foi o rei a Gibeão para lá sacrificar, porque era o alto maior; ofereceu mil holocaustos Salomão naquele altar. Em Gibeão, apareceu o Senhor a Salomão, de noite, em sonhos. Disse-lhe Deus: Pede-me o que queres que eu te dê. Respondeu Salomão: De grande benevolência usaste para com teu servo Davi, meu pai, porque ele andou contigo em fidelidade, e em justiça, e em retidão de coração, perante a tua face; mantiveste-lhe esta grande benevolência e lhe deste um filho que se assentasse no seu trono, como hoje se vê.
>
> 1Reis 3.4-6

Salomão vai a Gibeão, uns dez quilômetros ao norte de Jerusalém, no território da tribo da Benjamim. Era o lugar onde estava o Tabernáculo.

O Tabernáculo era o proto-Templo, o altar que Moisés tinha construído no deserto quando os judeus, em regresso ao território do futuro Israel vindos do cativeiro egípcio, ainda não tinham lugar oficial de adoração. Esta ida de Salomão a Gibeão está a acontecer tendo em conta que o lugar mais oficial de adoração tinha começado por ser Siloé, mas também foi de lá que os filisteus levaram a Arca da Aliança (1Sm 4) — Gibeão tinha-se tornado a solução logística provisória.

Tendo em conta que já vimos que, enquanto o Templo não era acabado, Deus condescendia com a adoração que os judeus faziam no enquadramento pagão dos altos e da queima de incenso, talvez Salomão ir até ao Tabernáculo fosse o compromisso possível entre essa herança idólatra dos altos e incensos e a tradição histórica hebraica. A quantidade mencionada de "mil holocaustos" no verso 4 não significa necessariamente um número exato mas o fato de serem muitos. Provavelmente também não seria o próprio Salomão que faria os sacrifícios, mas, enquanto rei, providenciaria que eles fossem feitos. Seria uma grande festa, levando provavelmente uma semana, arrastando a nobreza para o evento — uma espécie de feriado nacional muito dilatado.

Só por haver um ambiente de devoção tão intensa, não é difícil compreender que isso tivesse excitado a imaginação de Salomão e tornado a noite dele menos sonolenta. O fato é que é dito que Deus lhe aparece numa visão, enquanto ele sonha. O grande comentarista bíblico Matthew Henry escrevia que os sonhos eram o maior acesso que Deus tem em nós quando nós não atrapalhamos tanto com os nossos sentidos ligados — na Bíblia os sonhos funcionam como uma espécie de pré-Bíblia porque, quanto menos a nossa inteligência interferir, mais facilmente compreenderemos o que Deus quer. O maior conhecimento que podemos ter parte sempre de uma verdadeira humildade epistemológica. A sabedoria de Salomão começa, providencialmente, no seu sono.

Por outro lado, não podemos separar a relação que existe entre o fato de Salomão se ter dedicado a Deus, através daqueles sacrifícios feitos, e o que agora Deus dedica a Salomão, prometendo-lhe através do sonho que fará o que quer que seja que ele lhe peça. Esta reciprocidade é preciosa. O que Salomão investiu em sacrifício, Deus vai responder em sonho. Na aparência de um sonolento evento apenas, há um encontro total entre a criatura Salomão e o seu Criador. Nós não podemos dormir quando na Bíblia parece que só se dorme.

Quando se fala no papel dos sacrifícios no Velho Testamento, temos de falar em expiação e consagração (a palavra hebraica para sacrifício, oferta, é "corbã"). Isso significa que o fato positivo de um sacrifício, de uma oferta feita a Deus, depende de algo negativo que é o nosso pecado e a necessidade de o reconhecermos diante de Deus. O sacrifício é, então, a necessidade de emendar o nosso mal — este é o seu elemento de expiação. Por outro lado, um sacrifício é também uma dedicação, a separação de algo do seu contexto habitual para o serviço exclusivo a Deus — este é o elemento de consagração. Um sacrifício implica sempre expiação e consagração.

Quando os judeus faziam sacrifícios na sua religião, eles dedicavam coisas a Deus ao mesmo tempo que reconheciam quanto os seus erros, os seus pecados, atrapalhavam que a vida fosse o ato de adoração a Deus que devia ser. Os sacrifícios eram uma maneira de reconhecer que quem realmente manda no Universo é Deus, mas que devo ser responsável pelo mal que faço (consagração e expiação) — até chegarmos aqui, vivemos, aí sim!, realmente a dormir. Acordar é ganhar consciência para uma vida de expiação e consagração.

O sacrifício quer-nos acordados para a necessidade de louvar o Criador, tomando responsabilidade pelo modo como os nossos erros (os nossos pecados) prejudicam essa adoração. Nessa medida, a nossa devoção é um despertador para a existência. Até uma pessoa adorar Deus, ela vive sonâmbula, não compreendendo realmente o mundo à sua volta e não agindo nele com a responsabilidade necessária. Antes ainda da devoção poder ser um desejo sincero, ela começa por ser um alarme. A devoção não é apenas o que faço com aquilo que já estou certo ser; a devoção é o que me desperta para ter alguma certeza do que sou. Por isso mesmo, a adoração é um fim mas tem de ser um início também. Pessoas que ainda não adoram, são pessoas que ainda não são. Ou adoro ou me interrompo.

Mas, ao mesmo tempo, também é verdade que, se a nossa devoção a Deus nos desperta para o que a vida realmente é, a nossa vontade por ela, por si só, não resolve os nossos problemas. Como assim? Não basta eu querer adorar Deus para adorá-lo mesmo? E é aqui que o texto nos leva mais longe, sugerindo algo mais. Não basta Salomão ir até Deus; é preciso Deus ir até Salomão. É bom Salomão estar em Gibeão, mas é ainda melhor Deus estar em Salomão. É isso que acontece com o sonho. Depois de os sacrifícios mostrarem a importância de a nossa devoção a Deus ser um despertador para a vida, indo Salomão até ele, agora é preciso que, através dos sonhos, Deus venha até Salomão.

O que podemos dizer de um modo geral acerca do vasto assunto dos sonhos? Comecemos por reconhecer que não é possível compreender o papel dos sonhos no Velho Testamento sem falarmos numa revelação gradual e numa revelação completa. Numa época em que a Bíblia ainda estava a ser escrita e por encerrar, os sonhos funcionavam um pouco como Bíblia pré-Bíblia (como já foi mencionado) — era a fase gradual de Deus se revelar. Quando Deus acaba de se revelar através de pessoas que inspirou a escrever os 66 livros da Bíblia, no Velho e Novo Testamento, essa revelação fundamental está terminada — a fase completa. Enquanto Igreja, sentimos a necessidade de ter a posição de que não há revelação que se compare à da Palavra de Deus, ao mesmo tempo que não sentimos necessidade de tomar uma posição em relação ao fato de Deus ainda poder usar hoje sonhos (mas seguramente nunca com o tipo de autoridade que as Escrituras têm).

Os sonhos são a ciência do inconsciente, dizia Sigmund Freud. Vindos daí, pertencemos a uma cultura que toma os sonhos como aquilo que é meu mas em que não mando. Mas o interessante, dando atenção aos sonhos, é também reconhecer que as outras coisas que são nossas, e que tomamos como mais conscientes e acordadas do que os sonhos, são também domínios nos quais o nosso senhorio não é assim tão grande. Tendo em conta que vivemos procurando assumir uma responsabilidade em tudo o que fazemos, não deixa de ser considerável o que os nossos sonhos fazem em nós, não nos pedindo autorização. Tomografias cerebrais mostram que durante o sono há grande atividade na área límbica e paralímbica (relacionada principalmente com as emoções, desejos, aprendizagem, memória, vontade). O nosso querer acordado trabalha tanto ou mais quando dormimos. Isso devia dar-nos alguma humildade.

Não deixa de ser sugestivo que na área dos sonhos, que geralmente temos como o que é meu mas não mando, Deus apareça a Salomão para que ele aí exerça vontade e responsabilidade. Podemos achar que é mais o que o sonho faz em nós do que o que nós fazemos no sonho, mas Deus responsabiliza Salomão dizendo-lhe: O que quiseres, farei. Nessa medida, somos chamados a construir responsabilidade em áreas onde geralmente não encontramos nenhuma. Nessa medida, o texto bíblico baralha-nos um pouco o esquema e, com a Palavra aberta nos sacrifícios e sonhos de Salomão, diz-nos: Talvez no que julgas mandar não mandas assim tanto; e talvez no que julgas não ter controle possas ter algum.

"Pede o que quiseres" é o que diz alguém que se mostra capaz de cumprir qualquer que seja o pedido que lhe for apresentado, alguém pronto a prometer seja o que for. E essa promessa funciona como uma coroação a quem a recebe. Salomão, ainda antes de formular o seu desejo, já é reconhecido por Deus, ao ser alvo de uma promessa. De cada vez que Deus faz uma promessa a alguém, é como se essa pessoa fosse coroada. Considera isto: o que seria da nossa vida se nós tomássemos as promessas de Deus como coroas prontas para serem usadas por nós?

A lógica é pormos as promessas de Deus como coroas na nossa cabeça. Tendemos a atribuir tronos a quem tem muito, mas eles começam com quem recebe. Salomão pode ser um rei extraordinário porque ele não começa por dar, mas por receber. A coroa deste homem, antes de ser vista no modo como futuramente administrará, vê-se no modo como acolhe a promessa de Deus. A maior realeza que nos toca é termos diante de nós a palavra infalível de Deus.

Tendemos a ser fundamentalistas com o que fazemos e fatalistas com o que a vida faz em nós. Gostamos de defender com tudo o que temos a qualidade do que fizemos. E invocamos a nossa incapacidade para justificar o que a vida faz conosco. Somos dogmáticos com as supostas qualidades das nossas ações, mas cantamos o fado para aliviar a nossa consciência na hora de pensar nos acontecimentos diante dos quais sentimos que não tivemos possibilidade de controle. E no entanto, quando Salomão está no meio de sacrifícios e sonhos, encontramos uma alternativa a esta dicotomia de fundamentalismo e fatalismo.

Até nos devotarmos a Deus estamos por despertar, julgando ter controle de tudo. Viver como se a vida dependesse inteiramente de nós é um fundamentalismo absurdo — isto porque o verdadeiro fundamento da vida, Deus, precisa vir até nós, independentemente da nossa vontade. Não bastou Salomão ir até Deus nos sacrifícios; foi preciso Deus vir a Salomão nos sonhos. Por outro lado, olhamos para os sonhos ou as promessas bíblicas como áreas além da nossa intervenção. Mas viver sem exercermos responsabilidade no que sonhamos ou no que Deus nos promete é um fatalismo absurdo.

Quando Deus nos promete algo, cabe-nos encher-nos de ânimo! Jesus Cristo é a garantia de que não bastou darmos o nosso melhor para irmos a Deus; Deus veio até nós. Jesus Cristo é a garantia de que as promessas que Deus faz são o que faz o mundo girar: o Criador tornou-se criatura para que o sacrifício perfeito resolvesse de uma vez por todas o problema de todo o mal, nosso e restante. Promessas são coroas que precisam ser usadas e nós estamos a usar a boina do muito que supostamente fazemos, forrada a fatalismo. É hora de trocar de chapéu.

5

Sem Deus somos crianças incapazes (uma definição possível de sacerdócio)

> Agora, pois, ó Senhor, meu Deus, tu fizeste reinar teu servo em lugar de Davi, meu pai; não passo de uma criança, não sei como conduzir-me. Teu servo está no meio do teu povo que elegeste, povo grande, tão numeroso, que se não pode contar.
>
> 1Reis 3.7-8

Não é possível lermos este texto bíblico sem refletirmos um pouco sobre o assunto do sacerdócio. O contexto da passagem é a aparição de Deus em sonhos a Salomão, dando-lhe a oportunidade de apresentar o desejo que tivesse, que ele o concretizaria. Imaginemo-nos no lugar de Salomão... Deus a aparecer-nos e a dizer-nos: pede o que quiseres! No próximo capítulo desenvolveremos mais este assunto, o de um momento em que podemos exprimir o que mais queremos com a garantia de termos isso mesmo. Mas agora interessa-nos, primeiro, a disposição de Salomão antes do desejo.

Apresentar o desejo é importante nesta passagem, mas a disposição de quem apresenta o desejo também. O mesmo se aplica a nós: os desejos que temos são importantes, mas como nos dispomos a apresentá-los também é. Por isso, a questão é colocada a nós: antes ainda de mostrar o que desejo, como me disponho a fazê-lo? Esta pergunta é importante porque assinala que a qualidade dos nossos desejos também depende da nossa disposição ao apresentá-los. No fundo, a disposição com que apresentamos os nossos desejos exprime quem julgamos que somos.

Temos andado a estudar o assunto do discernimento, de realmente compreender a realidade à nossa volta (esta redundância é útil). Um sinal de grande ausência de discernimento é não compreender que o que desejamos revela quem julgamos que somos. Sempre que desejo alguma coisa, acabo a mostrar quem sou. E, conforme o desejo, o que mostro acerca de mim pode ser melhor ou pior. Salomão é elogiado neste capítulo da Bíblia porque, ao mostrar o seu desejo, mostra também que tem o conceito certo acerca de si.

Salomão, que não teria menos do que vinte anos de idade, apresenta-se como uma "criança que não sabe conduzir-se". Já vimos no terceiro capítulo a importância de nos assumirmos crianças diante de Deus porque maturidade é não ter medo de precisar de um Pai. Esta bela criança que Salomão é, neste texto do Velho Testamento, corresponde também às crianças que Jesus elogia nos evangelhos, porque dependem de Deus como Pai como, infelizmente, tendemos, à medida que nos tornamos adultos, a deixar de fazer. Interessa portanto que, como Salomão, sejamos pessoas a assumir que, quando desejamos coisas, o mais fácil é perdermos o rumo.

Se nos imaginamos como capazes, vamos a caminho do pior tipo de desastre que é perdermos a alma enquanto nos julgamos competentes para ganharmos o mundo. É também este tipo de discurso radical que Jesus usou no Evangelho de Lucas ao contar a parábola do campo do homem rico, que intentou viver dos lucros dos seus negócios, fazendo celeiros ainda maiores: "Deus disse-lhe: Louco, esta noite te pedirão a tua alma;

e o que tens preparado, para quem será? Assim é o que entesoura para si mesmo e não é rico para com Deus" (Lc 12.16-21). Vivermos sem a noção de que somos crianças diante de tarefas maiores do que a nossa capacidade é cultivarmos uma ideia fantasiosa acerca da nossa competência que, no pior, nos oferece o Inferno enquanto julgamos conquistar o Universo. Quando os nossos desejos mostram uma disposição para a autossuficiência, estamos mais perdidos do que julgamos.

Ao olhar com lucidez para a tarefa diante de si, de "estar no meio/governar um povo tão numeroso", Salomão está a ser treinado em sacerdócio. Na prática, ele tem a noção de que precisa funcionar como um sacerdote, um intermediário, ao reinar sobre Israel. Esta ideia de sacerdócio é muito importante no judaísmo porque os judeus acreditavam que o projeto de Deus para eles era precisamente o de serem "um reino de sacerdotes e uma nação santa" (Êx 19.6). As coisas mais importantes são feitas sempre que alguém precisa "estar no meio" de algo. Na frase do verso 8, o termo hebraico usado vem de *tawek*, palavra para "meio" ou "centro". O sacerdócio é um conceito que precisamos entender porque Salomão precisa estar no meio da relação que Deus tem com Israel, ser um sacerdote dessa relação, sendo um bom rei para Israel.

Em 2015, estudamos na Igreja da Lapa os primeiros vinte capítulos do livro de Êxodo, numa série de sermões chamada "Como se anda quando Deus manda". Na época, vimos que a principal preocupação de Deus, ao libertar os judeus do cativeiro do Egito, não era apenas fazer com que eles deixassem de ser escravos, mas também que passassem a ser sacerdotes. A principal preocupação de Deus com os israelitas era fazer com que eles passassem a ser sacerdotes através da Lei que lhes deixou, após atravessarem o Mar Vermelho. A Lei era o que garantia que já não estávamos apenas na presença de ex-escravos, ao ler o livro de Êxodo. A Lei era o que garantia que estávamos agora na presença de sacerdotes.

O sacerdócio do povo judeu é o que garante que o que de fantástico lhes aconteceu não serviu para os colocar no holofote. Quem devia estar no holofote era o próprio Deus. Ao ser Deus aquele que ocupa o holofote, há a capacidade de continuar a ser feito aquilo que ainda agora tinha sido feito com os judeus. Se Deus não chamasse os judeus para serem sacerdotes, significava que toda aquela história magnífica terminava nos próprios judeus: os judeus estavam presos, agora estão livres, ponto final. Os judeus seriam o centro da história. Mas, a partir do momento em que os judeus são chamados a serem sacerdotes, isso significa que a história magnífica que lhes aconteceu não acaba neles mas nos outros a quem eles mesmos servirão. E isso significa também que o centro da história não são povos específicos que estavam mal e agora estão bem, mas que o centro da história é o Deus que liberta os povos. O sacerdócio dos judeus quer dizer que a história segue além deles e que o centro dela é quem os salva — Deus.

É pelo fato de no judaísmo haver uma fome tão grande por um sacerdócio eficaz que Jesus Cristo vem para ser o sacerdote derradeiro. Jesus é a materialização do sonho de Israel, de ser casa de Deus para todos os povos — Jesus é o novo Israel. A importância de Jesus como sacerdote é que ele, precisamente!, "mete-se no meio", entre nós e Deus, para nos valer na coisa mais importante da nossa vida, que é estarmos bem com o Criador — coisa essa que somos demasiado crianças para conseguir. Jesus morre pelos nossos pecados, tornando-se o sacrifício que os resolve de uma vez por todas. Sem Jesus, ninguém "está no meio" das verdadeiras questões a tratar delas: só estamos nós e a nossa presunção de as resolver.

Por isso, uma das decisões mais sensatas é sairmos do caminho. Diríamos em voz alta a nós mesmos: Sai do meio! Estás a atrapalhar! Estamos a atrapalhar sempre que não assumimos que, sem Deus, somos uma criança incapaz. Temos tão pouca noção acerca de quem somos, temos tão pouco discernimento, sabemos tão pouco da realidade que julgamos que podemos sacerdotizar a nossa própria vida — e não podemos. Só Jesus pode. E isto não acontece só no momento em que nos tornamos cristãos, em que nos convertemos. Isto acontece o resto da vida quando, pertencendo nós à Igreja, deixamos que seja o corpo do nosso sacerdote final, Cristo, a estar no meio por nós. Colocando isto de uma maneira rude: um cristão que vive sem deixar que a Igreja esteja no meio da sua vida é alguém que, mesmo que sem consciência, declara que se salvou sozinho.

Como protestantes, gostamos de ter brio no conceito do "sacerdócio universal de todos os crentes". É a ideia de que, tendo Jesus estado no meio entre nós e Deus, continuamos essa vocação de "nação santa", dispensando a presença de Deus junto dos outros. Nessa medida, somos chamados a um paradoxo: Jesus é o único que se pode meter entre nós e Deus, e isso leva-nos a estar no meio das pessoas à nossa volta, mostrando-lhes a necessidade de Jesus se meter entre elas e Deus. Porque fomos ajudados, ajudamos. Isto não significa que nos vemos como salvadores dos outros, mas que a salvação deles não destoa de, não ficando nós longe do meio da vida deles, lhes mostrarmos o Salvador Jesus.

Por isso, deve haver em nós um compromisso profundo: não nos metermos no meio de coisa nenhuma quando é a hora de Jesus salvar; mas, ao mesmo tempo, assumirmos o nosso lugar quando a salvação de Jesus pede o nosso envolvimento na vida dos outros.

6

Um sábio que concede desejos é bom, mas desejar ser sábio é melhor

> Dá, pois, ao teu servo coração compreensivo para julgar a teu povo, para que prudentemente discirna entre o bem e o mal; pois quem poderia julgar a este grande povo? Estas palavras agradaram ao Senhor, por haver Salomão pedido tal coisa.
>
> 1Reis 3.9-10

Como já vimos que o "coração compreensivo" que Salomão deseja corresponde a um "coração que ouve", agora o plano é dedicarmo-nos à importância que a sabedoria tem na Bíblia, e ao longo do Velho Testamento em particular. Há uma longuíssima história de amor entre a Bíblia e a sabedoria! Queremos fazer-lhe justiça ainda que resumidamente.

Deus tinha aparecido em sonhos a Salomão e dado-lhe a oportunidade de apresentar o desejo que tivesse, que ele o concretizaria. Que chance... Deus a aparecer-nos e a dizer-nos: Pede o que quiseres! Muitas vezes penso no lugar para onde me dirigiria se, por alguma razão, tudo o que estivesse nas lojas me fosse disponibilizado gratuitamente — de certo modo, não é assim tão diferente do cenário de Salomão neste episódio. Para onde correríamos caso todo o comércio se tornasse gratuito diz muito de quem somos. Já falamos da disposição de Salomão, quando apresentou o desejo, mas agora falamos do próprio desejo. O que é que mais desejamos e o que é que isso diz sobre nós?

Há, na nossa cultura, histórias acerca de sábios que concedem desejos. Provavelmente a mais célebre seja a de Aladim e o Gênio da Lâmpada. Salomão representa, de certa forma, a anti-história do sábio que concede desejos, porque o que Salomão deseja é ser sábio. A partir do momento que o nosso desejo não é obter coisas de um sábio mas ser sábio, a situação muda. Ficamos disponíveis para querermos ser o sábio e não somente querer o desejo realizado. Predispomo-nos a imitar quem já é sábio. Predispomo-nos à sabedoria. Desejamo-la. E a Bíblia está neste texto a elogiar quem, em vez de desejar coisas junto de um sábio, deseja ser sábio.

Na grande história de gente fascinada com a sabedoria, ao longo das Escrituras e do Velho Testamento em particular, refiramos dois momentos, em muitos possíveis: um é o livro de Jó, e outro é o livro de Provérbios.

O assunto do discernimento, da sabedoria, faz história no livro de Jó porque, em último grau, o problema do sofrimento só pode ser entendido com verdadeira inteligência. Se quisermos ser curtos e grossos a perceber por que sofremos nesta vida, não vamos conseguir. Compreender o sofrimento exige verdadeira sensibilidade. E verdadeira inteligência é um assunto importante no livro de Jó porque são necessários trinta e oito capítulos de muita tragédia e conversa jogada fora para que algo possa ser compreendido acerca do sofrimento, quando Deus finalmente pega na palavra. Resumindo muito, a sabedoria é um assunto importante no livro de Jó porque ela nos ajuda a olhar para algo tão difícil como o sofrimento.

De cara, podemos dizer: sabemos que estamos na presença de alguém sem sabedoria quando ele não percebe nada sobre sofrimento — lição de Jó. Portanto, e em jeito de terapia de choque, diríamos: Se queres continuar pessoa de pouca inteligência, continua a evitar o convívio com o sofrimento ou com pessoas que aprendam com ele. Foge de todos os Jós da tua vida e foge de ser um Jó: sofrerás menos (julgas tu...) e saberás coisa nenhuma.

Os judeus desejam a sabedoria porque a sabedoria faz com que eles lidem melhor com a vida, quando ela corre bem e quando ela, através do sofrimento, corre mal. A sabedoria é desejada a um ponto tal que parece o que um homem sente quanto sente falta de uma mulher: no livro dos Provérbios a sabedoria é a Dona Sabedoria, a mulher dos sonhos de qualquer homem. A sabedoria não é uma categoria teórica mas suscita uma verdadeira excitação. Os primeiros nove capítulos do livro de Provérbios apresentam a Dona Sabedoria em contraste com a estupidez para que o leitor, naturalmente!, opte pela primeira. Ela, a Dona Sabedoria, está disponível na praça pública, ao nosso alcance, e nós somos tentados para continuarmos na ausência dela. Não é por acaso que são várias as mulheres que no Velho Testamento funcionam como encarnações da Dona Sabedoria: Raabe (Js 2.1), Débora (Jz 5.4), Rute (Rt 1.16), Abigail (1Sm 25.26), Ester (Et 4.13-14), para ficar em só alguns exemplos.

Ao vermos por que o discernimento é tão bem cotado na Bíblia, vale a pena pegar naquela lição resumida do livro dos Provérbios, que diz: "O temor do Senhor é o princípio da sabedoria" (Pv 9.10). Basicamente, até temermos Deus, até desenvolvermos com Deus uma relação de respeito tal que ele é o único que nos assusta ao mesmo tempo que suscita o nosso amor, não perceberemos nada da realidade. A sabedoria é muito importante na Bíblia porque ela é o resultado de quem não só acredita em Deus como também o ama. Temer a Deus, que envolve termos Deus como autoridade e amor na nossa vida, é o mínimo para realmente entender alguma coisa sobre a vida — o princípio da sabedoria. O pastor Emilio Garofalo Neto, da Igreja Presbiteriana Semear, de Brasília, tem um livro sobre o Eclesiastes onde escreve: "Reconhecer e entender o lugar supremo e primário de Deus no mundo é o princípio para o verdadeiro conhecimento". Uma vez mais: ser sábio é ter Deus como nossa autoridade e amor.

Desejar a sabedoria em vez de ficar num outro desejo qualquer é, no fundo, amar Deus pelo que ele é, e não somente pelo que ele nos pode dar. Materializar este amor por Deus, além do que ele nos pode dar, é amar o produto final e amar o processo até esse produto final. Eu passo a amar Deus porque ele concede os meus desejos, mas eu passo a amar Deus também porque quero ser como ele é. Deus serve-me vindo até mim, concedendo-me desejos, e, ao mesmo tempo, desejo ir até Deus, sendo como ele é. O desejo de sabedoria é uma reciprocidade ao amor de Deus por nós.

Vale a pena perguntar: que nome tem isto, de a iniciativa de Deus vir até nós e nós desejarmos a semelhança com ele? O nome para isto é Cristo. Cristo é o velho desejo por sabedoria feito carne e osso. A Dona Sabedoria era boa, mas Cristo é ainda melhor. Cristo representa, neste sentido, o nosso casamento com a Dona Sabedoria. E é especialmente bonito que a Bíblia diga que Deus fica satisfeito por Salomão querer ser sábio. Tantas vezes falamos da certeza que temos, com a Bíblia aberta, acerca das coisas que Deus detesta. Agora é caso para dizer com alegria o oposto: Deus delicia-se no nosso discernimento. Que o Senhor nos dê força para sermos sábios, tendo Cristo como o nosso maior desejo!

7

O melhor sucesso chama-se sabedoria

> Disse-lhe Deus: Já que pediste esta coisa e não pediste longevidade, nem riquezas, nem a morte de teus inimigos; mas pediste entendimento, para discernires o que é justo; eis que faço segundo as tuas palavras: dou-te coração sábio e inteligente, de maneira que antes de ti não houve teu igual, nem depois de ti o haverá. Também até o que me não pediste eu te dou, tanto riquezas como glória; que não haja teu igual entre os reis, por todos os teus dias. Se andares nos meus caminhos e guardares os meus estatutos e os meus mandamentos, como andou Davi, teu pai, prolongarei os teus dias.
>
> 1Reis 3.11-14

Depois de Salomão ter tido a oportunidade de mostrar o seu desejo, é a vez de finalmente Deus falar. Deus responde celebrando a qualidade do pedido de Salomão. É assinalado o bem que ele fez por não pedir o que provavelmente a maioria pediria: longevidade, dinheiro e vitória sobre os adversários. Deus agrada-se de que os nossos desejos não sejam fracos a ponto de poderem ser iguais aos da maioria. Pela resposta de Deus a Salomão, não podemos afirmar que desejar vida, dinheiro e vitória é, por si, mau, mas são desejos que certamente não suscitam elogio. Querer viver mais, querer ter mais e querer vencer sobre os outros é, neste sentido, banal. Qualquer um deseja isso.

Podemos inferir uma lógica nesta resposta de Deus a Salomão, que é reconhecer que quando vivemos num regime de desejarmos principalmente longevidade, dinheiro e vitória nada há de distintamente cristão em nós. Mais ainda: uma pessoa que quer continuar a viver, ter dinheiro e sucesso sobre os seus inimigos não é uma pessoa que se distinga dos outros quando o assunto é também inteligência. Tornando isto mais simples ainda: não há nada de especialmente inteligente ou cristão em querer dinheiro, sucesso, viver mais. Novamente: qualquer um deseja isso, e, sobretudo, não há aí especial inteligência.

Por outro lado, e como o texto dirá de seguida,

adquirir riqueza e glória como consequência de procurar sabedoria não é, em si, contrário à fé cristã (como vemos no verso 13). Afinal, não desejando essas coisas, Salomão acabará por recebê-las. Aparece até uma certa ironia: alguns dos prêmios da verdadeira inteligência espiritual parecem os objetivos das pessoas sem ela. Salomão não desejou riquezas nem glória, mas Deus faz questão de que ele as alcance como consequência de ter preferido o melhor, a sabedoria. E há um eco aqui das palavras de Jesus no Sermão do Monte, em procurarmos primeiro as coisas de Deus e termos todas as outras como acréscimo (a comida, a bebida e a roupa; Mt 6.33).

É paradoxal que tenhamos como consequência o que não era a nossa causa. Um dos textos mais claros e veementes expondo esta dinâmica de se obter como prêmio aquilo que não foi a motivação para a iniciativa é o de Filipenses 2.4-11, quando o apóstolo Paulo indica como Cristo materializa esta lição. Nesse texto é dito que Jesus, que se esvaziou de tudo expondo-se a uma morte vergonhosa, recebe depois a glória da qual abdicou, estando à direita de Deus Pai e esperando que toda a criação, que foi criada por ele, assim o reconheça. É uma passagem incrível que explora como só a maior humildade pode trazer o mais sublime e justo destaque. Os cristãos acreditam na glória como consequência e não como causa, porque Cristo assim viveu. Não somos estoicos ou indiferentes à exultação que nos pode ser dada, mas não trabalhamos com ela como ponto de partida.

Como é que, a partir do exemplo de Salomão e a partir do exemplo de Cristo, podemos viver isto na prática hoje em dia? Há, pelo menos, três indicações que nos devem nortear.

1) Precisamos de uma sinceridade desarmante e espiritual para nos fazer ver se vivemos para coisas que, não sendo más como a longevidade, o dinheiro e o sucesso, não nos distinguem de qualquer pessoa sem fé. Não será certamente fácil admitir que somos atraídos por causas tão centradas em nós, mas, se não chegarmos até essa admissão, não quebraremos o circuito interno em que nos fechamos nos interesses próprios. Já pensamos na liberdade que é podermos viver sem o peso de precisarmos viver mais, ter mais e vencer sobre os outros? O pedido de Salomão demonstrou uma coragem única, que é a de poder pensar além de si mesmo. Quando somos mais do que as

nossas necessidades, podemos sonhar com o que os outros necessitam — é também isso que aqui está a acontecer.

2) As pessoas que realmente serão reconhecidas por Deus são as que não procuram reconhecimento. Desarma-nos enquadrar o assunto nesta simplicidade cortante, mas o texto exige-o. O discernimento que está a ser reconhecido em Salomão passa também por ele saber prescindir do reconhecimento dos outros. O fato de a sabedoria de Salomão se tornar proverbial e tão assinalada por tantos nasce de ele não a ter desejado como prêmio de aclamação coletiva. Salomão pediu sabedoria para estar entre Deus e o povo, e não para ser como um deus para o povo — essa foi a sua suprema inteligência espiritual. Não foi o sucesso que orientou o desejo, e esse foi o maior sucesso que o desejo teve. Já pensamos como a nossa vida muda quando o nosso radar deixa de detectar pessoas de sucesso para detectar pessoas de sabedoria?

3) Ser cristão não é desvalorizar a glória, porque ela faz parte do processo de reconhecermos Jesus como o nosso Salvador — toda a glória vai para ele. Mas é tê-la como uma consequência e não uma causa, ao mesmo tempo que cultivamos

um distanciamento das glórias deste mundo. Este é o paradoxo que edificou a partir da humilhação de Cristo a sua maior exaltação, como nos explica o apóstolo Paulo:

> Tende em vós o mesmo sentimento que houve também em Cristo Jesus, pois ele, subsistindo em forma de Deus, não julgou como usurpação o ser igual a Deus; antes, a si mesmo se esvaziou, assumindo a forma de servo, tornando-se em semelhança de homens; e, reconhecido em figura humana, a si mesmo se humilhou, tornando-se obediente até à morte e morte de cruz. Pelo que também Deus o exaltou sobremaneira e lhe deu o nome que está acima de todo nome, para que ao nome de Jesus se dobre todo joelho, nos céus, na terra e debaixo da terra, e toda língua confesse que Jesus Cristo é Senhor, para glória de Deus Pai.
>
> Filipenses 2.5-11

A forma de servo é a forma da sabedoria, ensina Salomão e, acima de tudo, ensina Deus Filho.

8
Viver o sonho é viver a promessa

> Despertou Salomão; e eis que era sonho. Veio a Jerusalém, pôs-se perante a arca da Aliança do SENHOR, ofereceu holocaustos, apresentou ofertas pacíficas e deu um banquete a todos os seus oficiais.
>
> 1REIS 3.15

Deus aparece a Salomão num sonho para que desejasse o que quisesse que ele faria questão de o atender. Todo este episódio, entre os versos 4 e 15, tem um efeito poético crescente, que o torna diferente do resto do capítulo 3 de 1Reis. Esse lirismo que vai ficando mais intenso é visível, por exemplo, no encadeamento de frases como "porque não pediste/porque pediste/porque não pediste..." no verso 11, e nas frases "nenhum antes de ti/nenhum depois de ti" no verso 12. É como se lêssemos um poema que vai fervendo. Estamos agora a chegar a um clímax no verso 15 que se materializa em Salomão acordar do sonho!

É possível acordarmos de um sonho zangados porque a realidade acordada é pior. É possível acordarmos de um sonho contentes pela razão oposta — o pesadelo terminou. Sem dúvida que os nossos acordares podem ser experiências intensas. No caso deste acordar de Salomão, é fundamental ver o que ele fará em seguida. O sonho foi incrível, mas um mesmo grau de exigência é atribuído à atitude de Salomão pós-sonho. Esse equilíbrio notável entre sonho e pós-sonho articula-se precisamente nestes dois elementos de pedido de Salomão e promessa de Deus. Pedido e promessa.

Ter Deus perto é poder abrigar esta dupla de pedir o que queremos e receber uma promessa dele, e a consequência é acordar do sonho para o viver na realidade. Salomão a dormir oferece-nos uma ética para a nossa vida acordada. Ainda hoje o cristão é chamado a pedir a Deus segundo os seus desejos, e Deus agrada-se em retribuir a partir do fato de não poder falhar com a sua palavra. Novamente: pedido e promessa.

Os sonhos na Bíblia funcionam como um acesso a quem Deus é e, consequentemente, a quem nós somos e ao que todo o mundo é. Depois de um sonho, em que Deus fica perto, Salomão não pode continuar a ser o mesmo. Quando conheço mais de Deus, conheço mais da realidade que ele criou — o novo conhecimento suscita novo comportamento. Essa diferença vê-se em Salomão já nem ser capaz de louvar como louvou no passado. De Gibeão, Salomão passa para Jerusalém, como vemos no verso 15: "veio a Jerusalém, pôs-se perante a arca da Aliança do SENHOR, ofereceu holocaustos, apresentou ofertas pacíficas e deu um banquete a todos os seus oficiais".

Jerusalém era o lugar onde estava a Arca da Aliança, que guardava as tábuas dos Dez Mandamento, dadas por Deus a Moisés no Monte Sinai (o mais fácil muitas vezes é lembrá-las do *Indiana Jones e os caçadores da arca perdida*). O que é que significava Salomão preferir agora Jerusalém a Gibeão, o primeiro lugar dos sacrifícios feitos neste capítulo? Uma pessoa que sabe mais acerca de Deus, de si própria e de toda a existência — uma pessoa com discernimento! — adora, derrama quem é, onde Deus disse as maiores coisas, onde promessas foram feitas. Gibeão passa a ser o local inadequado agora que Salomão, sabendo mais do

Deus que se revelou em sonho, é recordado que em Jerusalém está a Arca da Aliança, o baú da promessa. O discernimento sério leva-nos sempre ao que Deus diz. Discernimento é seguir o dizer de Deus. Perceber a realidade é seguir a palavra.

Até Deus estar perto, não sabemos quem ele é, quem somos e o que é toda a existência. Este é o ABC desta questão do discernimento que temos aprendido no estudo do terceiro capítulo de 1Reis. Quando discernimento nos é dado, isto porque ele não surge como uma conquista mas como um dom, aceitamos que, no fundo, toda a existência é acerca da adoração. Vivemos em função do que adoramos. Como ganhamos uma maior consciência de que vivemos para o que adoramos, acertamos o conteúdo do que adoramos e acertamos o modo como adoramos.

Uma das grandes ingenuidades do nosso tempo é esta presunção de podermos viver sem adorar algo, e a presunção de que, mesmo quando descobrimos a coisa certa para adorar, julgarmos que não podemos adorar a coisa certa da maneira errada. É um grande erro viver sem ter consciência de adorar a coisa certa, mas também é um grande erro, quando supostamente se tem a consciência de adorar a coisa certa, fazê-lo de um modo errado. Também é isto que nos torna cristãos evangélicos: sabermos que não podemos viver sem adorar, e sabermos que adorar do modo errado não é grande vida. Um cristão evangélico valoriza não só o conteúdo da adoração mas o como dela.

É isso que, meio milênio depois da Reforma Protestante, nos mantém ainda fora de Roma: se o catolicismo não incorresse em nenhum equívoco grave no "como adorar", tendo em conta que adora o mesmo "conteúdo", o mesmo Deus que nós adoramos, não faria sentido continuarmos fora da Igreja Católica. Não sendo este livro fundamentalmente acerca das polêmicas que dividem católicos e protestantes, seria absurdo não as notar aqui, tendo em conta que, em último grau, esta divisão na cristandade ou é vista com tristeza, ou é vista com consciência bíblica. Acredito na segunda.

Como nos livramos então de, tendo descoberto o Deus verdadeiro, não acabarmos, com a maior das boas vontades, a adorá-lo do modo errado? A resposta é: tendo a nossa adoração ancorada nas promessas de Deus. Na Bíblia há uma correspondência total entre a palavra de Deus e as suas promessas. O que Deus faz, prometendo coisas, é também o que Deus é, exprimindo-se em palavras. Não acreditamos ser possível conhecer Deus independentemente do modo como ele se revelou, na palavra escrita da Bíblia.

A ideia de o meio como Deus se revelou ser indissociável de quem ele é, é o que sustenta a crença cristã de que Deus se fez homem em Jesus. Cristo é a mensagem de Deus, sendo também o meio como ela nos chega. Cristo é o produto e o processo, *the media and the message*. Enquanto evangélicos somos obcecados pela Bíblia porque ter a Bíblia como central é a consequência de entendermos que, tão importante como quem Deus é, é o modo como ele é, revelando-se homem em Cristo, a palavra feita pessoa. Livramo-nos do erro de adorarmos o Deus certo da forma errada sendo centrados na Bíblia.

Como devemos sair deste texto? Cultivando-nos como pessoas que se derramam nas promessas de Deus. A única resposta possível é sermos mais acesos quando o assunto é a palavra de Deus. Isso não significa que fugimos de assumir a responsabilidade do fácil que é quebrar promessas. Mas vivemos de promessas porque, do mesmo modo como Salomão, após ganhar discernimento, se deu todo em adoração diante da Arca da Aliança, da Arca da Promessa, nos derramamos em adoração à Arca da Promessa feita pessoa na nossa vida, Jesus. Vivermos o sonho é vivermos na promessa.

9
Resolver problemas privados em público

Então, vieram duas prostitutas ao rei e se puseram perante ele. Disse-lhe uma das mulheres: Ah! Senhor meu, eu e esta mulher moramos na mesma casa, onde dei à luz um filho. No terceiro dia, depois do meu parto, também esta mulher teve um filho. Estávamos juntas; nenhuma outra pessoa se achava conosco na casa; somente nós ambas estávamos ali. De noite, morreu o filho desta mulher, porquanto se deitara sobre ele. Levantou-se à meia-noite, e, enquanto dormia a tua serva, tirou-me a meu filho do meu lado, e o deitou nos seus braços; e a seu filho morto deitou-o nos meus. Levantando-me de madrugada para dar de mamar a meu filho, eis que estava morto; mas, reparando nele pela manhã, eis que não era o filho que eu dera à luz. Então, disse a outra mulher: Não, mas o vivo é meu filho; o teu é o morto. Porém esta disse: Não, o morto é teu filho; o meu é o vivo. Assim falaram perante o rei.

1Reis 3.16-22

Chegam problemas ao palácio e tragédias ao trono. A nossa necessidade de sabedoria também é grande porque, até quando sentimos que a vida nos coroa, como agora coroava Salomão, não ficamos isentos de confusão. Até aos coroados a vida faz questão de trazer confusão. Neste caso, duas mulheres de má reputação vão até Salomão para que ele resolva o desentendimento entre elas, desentendimento esse que veio da tragédia da morte de um filho. O trono de Salomão, com tudo o que significa de reconhecimento da sua extraordinária sabedoria, não é poupado dos dilemas mais complicados das pessoas que vivem à sua volta. Como já vimos, ele está "no meio da vida delas". Quando servimos para alguma coisa, na vida dos outros, o que é pior nessa vida seguramente virá até aos nossos lugares, mesmo que sejam eles a sala da coroa.

Ainda hoje se debate que tipo de má reputação teriam aquelas mulheres, havendo quem as considere tecnicamente prostitutas e quem não — o termo hebraico usado, *zonot*, também poderia significar mães solteiras, como exemplo de mulheres que viveriam fora do plano apropriado do casamento. As duas mulheres que viviam juntas (geralmente, um sinal da tal pouca virtude em causa) tiveram cada uma um filho com três dias de diferença, e, durante uma noite, uma das crianças morre: o debate é saber qual das crianças morreu, visto que ambas dizem não ser a sua. A primeira mãe acusa a outra de ter provocado a morte do seu próprio filho inadvertidamente e colocado-o no lugar da sua; a segunda alega o oposto. Esta é realmente uma confusão enorme, e o sábio Salomão é envolvido nela.

Grande literatura temos neste pequeno episódio. Há uma simplificação intencional das personagens para que os acontecimentos se expandam. O que uma mulher muito diz, a outra corta; o que uma revela do coração, a outra ressente; e por aí em diante. Em termos literários encontramos um quiasmo, em que as frases escritas funcionam ziguezagueando na nossa cabeça para que, uma vez mais, haja um clímax no texto que se materializa na inteligência de Salomão. A ação, sendo mais verbal do que física, serve de caminho para a resolução que terá de ser dada pelo rei. Salomão é colocado na difícil posição de ter de arbitrar publicamente histórias privadas em conflito. E é preciso muita inteligência quando em público temos de resolver conflitos privados.

Quantos de nós podemos, com sinceridade, dizer que somos bons a dar soluções simples para dilemas difíceis? É bem improvável. Há uma tentação constante de querermos mostrar publicamente a nossa inteligência quando o mais fácil é, precisamente, encenarmos no coletivo o que não conseguimos fazer no individual. Na era da comunicação global, as pessoas encenam para grandes grupos o que são incapazes de fazer quando estão sozinhas. Temos hoje uma dose demasiada de sensatez no discurso que é feito na praça, mas, não raras vezes, somos desmascarados diante dos fatos da nossa vida privada. A tarefa de Salomão aqui é delicadíssima, no manuseio dessas duas esferas de público e privado. Não entraremos já na resposta propriamente dita de Salomão, que ficará para o próximo capítulo. Interessa-nos, portanto, ficar no limiar do problema sem entrar já na solução.

Daniel Kahneman é um psicólogo que ganhou um Prêmio Nobel da Economia, à custa de refletir sobre como tomamos decisões sob incerteza. O seu livro mais conhecido chama-se *Rápido e devagar: Duas formas de pensar* e nele defende que as nossas intuições são máquina de conclusões precipitadas. Não somente podemos ser cegos em relação ao óbvio, como podemos ser cegos em relação à nossa própria cegueira. Ou seja, e como vimos no primeiro capítulo, talvez pior do que pensar mal é pensar que pensamos bem.

Existem fundamentalmente duas formas de pensar, diz Kahneman: a primeira é a rápida, o sistema 1, em que pensamos sem saber como esse pensamento se processou. Por exemplo, um cônjuge detecta irritação na maneira de o outro falar. Essas impressões ou intuições são modos de pensar tão ligeiros como inconscientes, e são, nesse sentido, silenciosos. O sistema 2, a segunda forma de pensar, muito menos usada por nós, é a lenta, que envolve atenção e esforço e, é nesse sentido, mais racional. O sistema 1 tende a confirmar e o 2 a questionar. A maneira como a nossa cabeça funciona é menos uma do que parece e, até dentro dela, encontramos obstáculos para uma reflexão íntegra. É como se precisássemos pensar para pensar.

Ao mesmo tempo que, junto com alguma psicologia moderna, reconhecemos dentro da nossa cabeça essas medidas de conflito interno, interessa-nos uma cabeça, como a de Salomão, que serve também para os conflitos que nos são externos, e que passam pelos outros — a verdadeira sabedoria pede que reconheçamos os limites do nosso raciocínio ao mesmo tempo que o aplicamos a favor dos outros. Somos, por um lado, chamados a reconhecer dentro do nosso pensamento coisas outras, para mencionar o tal sistema 1 e o tal sistema 2 de Daniel Kahneman, e somos chamados também a pensar a favor dos outros. Preciso reconhecer o outro dentro de mim para ajudar os outros fora de mim.

Se chegaram problemas ao palácio e tragédias ao trono, então isso quer dizer que a urgência da sabedoria se vê também no fato de quem a recebe de Deus ter de a usar para aliviar o sofrimento dos outros. Na Bíblia, uma pessoa inteligente em circuito fechado não é realmente inteligente. Uma das nossas tentações comuns é desejarmos a inteligência como algo essencialmente nosso, privado, referente a uma qualidade nossa. Mas o discernimento a sério, aquele que vem de Deus, não engorda a nossa lista de virtudes pessoais — é um dom que Deus nos dá para nós darmos aos outros. Se o teu discernimento não serve os outros, também não serve grande coisa para ti.

Provavelmente a maioria de nós não terá de exercer o seu discernimento arbitrando publicamente conflitos privados. Nem todos somos juízes, advogados, psicólogos, padres, pastores, terapeutas, seja o que for. E, provavelmente, devemos até afastar-nos de tentar fazê-lo, quando não fomos chamados por Deus para isso. Ainda assim, temos muito para aprender com o exemplo de Salomão porque, mesmo que não seja a nossa tarefa profissional, é inevitável mexermos publicamente em problemas privados.

A trapalhada trágica na vida destas duas mulheres tão desclassificadas não as impediu de serem tratadas pela cabeça mais sábia do seu tempo. Claro que há aqui uma moral a insinuar-se: ninguém está excluído de, na pior circunstância da sua vida, poder ser assistido pelo juiz mais perfeito — se Salomão deu corpo a essa oportunidade graciosa, o que fará Jesus, aquele que é maior do que Salomão (Mt 12.42)? E é a ligação entre o rei sábio Salomão e o Rei ainda mais sábio Jesus que dispara este episódio dos porões do Velho Testamento para os nossos dias do século 21.

O Salomão sábio que não foi sábio até ao fim dos seus dias serve para nos satisfazermos no Salomão que foi sábio até ao fim, chamado Jesus. Jesus é quem terá de resolver publicamente problemas privados, quando vier julgar todos os vivos e mortos (2Tm 4.1). Nós, máquinas de conclusões precipitadas acerca dos outros, precisamos daquele que pacientemente se deu para morrer por nós. Somos chamados a responder como Jesus respondeu, não na medida em que nos salvamos ou salvamos os outros. Mas somos chamados a publicamente atender aos problemas privados dos outros no mesmo espírito de graça que nos perdoou e que nos responsabiliza.

10
Se a verdade não te assusta, estás longe dela

> Então, disse o rei: Esta diz: Este que vive é meu filho, e teu filho é o morto; e esta outra diz: Não, o morto é teu filho, e o meu filho é o vivo. Disse mais o rei: Trazei-me uma espada. Trouxeram uma espada diante do rei.
>
> 1Reis 3.23-24

Como nos filmes de tribunal, o que vai deslindar a trapalhada trágica que estas duas mulheres de má reputação trazem à melhor cabeça da época, Salomão, é o uso da palavra. A sabedoria de Salomão é visível na medida em que as palavras que vai dizer lhe dão carne — a verdadeira inteligência espiritual, que dá ordem ao caos, exprime-se através da palavra, e tudo isto corresponde a colocar em prática o coração entendido que Salomão pediu a Deus, o "coração que ouve" (1Rs 3.9).

E o que faz Salomão ao usar as palavras, depois de reconhecer o conflito entre aquelas duas mulheres? Pede por uma espada. Não é a única vez que a Bíblia sugere uma relação entre palavra e espada. Provavelmente a ocasião mais conhecida em que o faz seja em Hebreus 4:12: "Porque a palavra de Deus é viva, e eficaz, e mais cortante do que qualquer espada de dois gumes, e penetra até ao ponto de dividir alma e espírito, juntas e medulas, e é apta para discernir os pensamentos e propósitos do coração". Ao usar a palavra para pedir uma espada, Salomão ilustra a responsabilidade que tinha de discernir profundamente o ponto onde verdade e mentira se distinguiam naquela história.

Diante de alguém que mente, a resposta de Salomão traz à tona a verdade das duas mulheres. Isto quer dizer que o mesmo se aplica à palavra de Deus: é ela que separa a verdade da mentira, como a lâmina afiadíssima de uma espada. Na Bíblia, palavra e espada podem ser sinônimos porque ir ao fundo das coisas não nos é natural, mas exige um uso profundo da verdade que facilmente nos fere. Quando o mais provável é vivermos numa tenra fuga da verdade, ainda que inconsciente, o antídoto terá mesmo de ser cortante.

Enquanto rei, Salomão deveria ocupar este papel afiadíssimo de discernimento profundo, que justifica o pedido que fez a Deus no sonho anterior. Num dos seus provérbios, escreveu: "A glória de Deus é encobrir as coisas, mas a glória dos reis é esquadrinhá-las" (Pv 25.2). Na tradição do Velho Testamento, lidar com o que estava além da capacidade do nosso conhecimento poderia exigir que se lançassem sortes, fizessem juramentos ou testes (Êx 22.10-11; Nm 5.11-28). Mas agora, tinha deixado de ser necessário esse tipo de recursos graças ao pedido de Salomão em Gibeão. Os papéis de rei, sacerdote e profeta eram, para Israel no Velho Testamento, sinal de empenho em lidar com sensibilidade junto de coisas que estão muito além do conhecimento imediato. A Salomão, enquanto rei, tinha sido dada uma responsabilidade enorme de descobrir a verdade onde ela parece ausente.

Nós não somos criaturas que facilmente distinguem a verdade da mentira. Se assim fosse, não teríamos uma necessidade especial de discernimento. Não precisaríamos pedir a Deus algo que naturalmente já tínhamos. Ter discernimento é mesmo difícil — é sobrenatural. E discernir, passando pela tarefa de distinguir a verdade da mentira, responsabiliza-nos em relação ao que vivemos e em relação ao que os outros vivem. Nessa medida, discernir exige mediação.

Do mesmo modo como Salomão, como rei, é mediador de problemas de prostitutas, este texto quer que tenhamos a inteligência como a capacidade de nos colocarmos no meio das coisas. Tudo o que de errado acontece conosco e com o mundo relaciona-se com a dificuldade que temos em estar no centro da realidade, mediando-a, distinguindo a verdade da mentira. Mediar torna-se uma atitude de amor até, em que não vivemos indiferentes aos problemas e sofrimentos dos outros. O trono de Salomão não o impede de interceder na tragédia de duas mulheres desclassificadas. Mas essa atitude amorosa da mediação fica muito complicada pela nossa inabilidade natural. Devemos mediar mas tendemos a ser genuinamente péssimos nisso.

Por isso, desconfiamos da nossa capacidade de nos metermos no meio da nossa própria vida e da vida dos outros. Afinal, a verdade não nos é deliciosa mas dolorosa. Lidar com a verdade fere, é o que o texto nos está a dizer. Na fé cristã, só se conhece a verdade pelo sangue. Se não estamos dispostos a ver sangue vertido, não saberemos nada sobre nós nem sobre os outros. Se não estamos dispostos a sangrar pelos outros, não estamos dispostos a saber nada sobre eles. Não existe ajuda sem custo — foi isso que Cristo fez por nós. Isto não quer dizer que temos como ser Cristo para os outros, mas que temos como ser como Cristo para os outros.

Reparem o que isto também significa: uma pessoa caracterizada em querer meter-se na vida do outro, ou sabe o que está a fazer, e sangrará por isso, ou é um autêntico tolo. Nós não nos envolvemos na vida uns dos outros para que a nossa sabedoria saia destacada. Quando nos envolvemos na vida uns dos outros é, sem dúvida, para sofrermos com eles. Logo, permitam-me este conselho: pessoas demasiado prontas em estar no meio do problema dos outros geralmente procuram que os outros lhes reconheçam sabedoria, não tendo noção do sofrimento real envolvido nisso. Por isso Provérbios 26.17 diz: "Quem se mete em questão alheia é como aquele que toma pelas orelhas um cão que passa". Não corras o risco de estar pronto para te envolveres no sofrimento dos outros para saíres com ar de sábio — isso é uma valente estupidez e uma crueldade. Por outro lado, questiona o sucesso que tens tido a escapar de sofrimentos sérios: a tua maior fatalidade pode tornar-se o fato de seres feliz.

A pessoa que não é sábia quererá ficar longe do seu sofrimento e dos outros; mas ficar longe do seu sofrimento e dos outros é continuar sem sabedoria. Este processo funciona como ciclo vicioso. Quando vivemos em função desta fuga do sofrimento, a nossa felicidade torna-se paradoxalmente o selo da nossa falta de sabedoria. De que modo, então, é que a felicidade que procuramos corresponde à maldição da nossa indiferença ao sofrimento?

O que deslinda esta trapalhada trágica do filho morto das duas mulheres de má reputação é o uso da palavra, que veremos no próximo capítulo no que Salomão dirá. O uso dessa palavra será assustador como a lâmina da espada que já foi pedida — mas o fato é que se a verdade não nos assusta, estamos longe dela. E daqui nasce uma esperança.

Quando Salomão corta com a sua palavra, ele antecipa a palavra que será cortada. A verdade que é Salomão rasgar com o seu verbo, é a verdade que é Jesus ser o verbo rasgado. Onde o primeiro ameaçou sangue, o segundo sangrou mesmo a ameaça. Antevendo cenas dos próximos capítulos, o filho que aqui será poupado aponta para o Filho de Deus dado por nós. É isso que está em causa em a nossa vida ser resolvida pela morte e ressurreição de Jesus — assusta mas é o que vai ao ponto de detalhe máximo, à medula da questão do nosso mal e da nossa necessidade de perdão de Deus. Graças a Deus por este bebê poupado e pelo Filho de Deus dado por nós!

11
Quando o teste de maternidade vem positivo

> Disse o rei: Dividi em duas partes o menino vivo e dai metade a uma e metade a outra. Então, a mulher cujo filho era o vivo falou ao rei (porque o amor materno se aguçou por seu filho) e disse: Ah! Senhor meu, dai-lhe o menino vivo e por modo nenhum o mateis. Porém a outra dizia: Nem meu nem teu; seja dividido. Então, respondeu o rei: Dai à primeira o menino vivo; não o mateis, porque esta é sua mãe.
>
> 1Reis 3.25-27

A solução de Salomão para descobrir a verdade no meio da mentira é sangrenta: que a espada que pediu funcione e corte a criança em dois para que cada mulher fique com metade. Por um lado somos tentados a dizer: "Que horror!", mas, por outro, reconhecemos que esta ordem só existe porque Salomão leva a sério a responsabilidade de pôr uma lei justa a funcionar. É, de fato, um decreto brutal, mas é através dele que se vai revelar o coração de cada uma daquelas mulheres.

Isto significa que muitas vezes, sem a hipótese de haver sangue, ficamos escondidos nas nossas mentiras, encenando ser mais justos do que realmente somos. Sem sangue é mais fácil eu simular quem não sou. Um juízo afiado não foge de ir até ao coração, ferindo se necessário, para que a verdade se veja. Para que a verdade exista, o risco de uma aparente tragédia é necessário — esta parece ser uma lição bíblica. Nada fica mais perto do que realmente é sem que nos abramos a cenários que no imediato nos inspiram o medo. A fé exige essa abertura ao assustador.

Portanto, temos aqui a palavra perigosamente afiada de um homem que exerce a justiça, o rei Salomão. O que é que acontece quando essa perigosa palavra de juízo entra em cena? Abre-se o acesso para descobrirmos quem diz a verdade, pelo fato de os corações destas mulheres se revelarem. A partir daqui, esta história funciona como um teste de maternidade. Pelo fato de a palavra ganhar protagonismo, quem dizemos que somos pode ser atestado. Até que a palavra esteja no centro, todos os fingimentos são possíveis.

O texto diz-nos que, na primeira mulher, o amor materno se aguçou pelo filho: a ideia literal é de que aqueceram as vísceras da mãe pela sua criança. E a revelação continua porque ela prefere perder o seu filho e mantê-lo vivo. O uso afiado da justiça, para distinguir a verdade da mentira, permite-nos ver que o verdadeiro amor não funciona em termos de posse mas de abertura para o sacrifício. A mãe verdadeira estava disposta a fazer algo parecido com o que faz uma mãe quando dá o filho para adoção, por crer que não é capaz de ter os meios para educá-lo. E guardemos por enquanto o conceito de adoção conosco, que já lá voltamos.

Do outro lado da cena, e em contraste total com um coração de mãe que não foge do sacrifício, a segunda mãe opta por não querer perder a razão, ainda que isso possa significar a morte da criança. Uma das lições desta história é que a inveja endurece o coração. Nesta medida, o episódio mostra dois opostos: de um lado, o sacrifício de quem realmente ama e se presta a perder; do outro, alguém consumido pela inveja, que é querer ganhar a razão mesmo quando o mais importante se perde. E vale a pena repetir esta ideia: muitos de nós, como a mãe mentirosa, somos tentados ao pecado da inveja, que passa por querermos ganhar uma identidade que não nos pertence através da perda da verdade.

A inveja é aprendermos a viver bem com a mentira, que nos coloca num lugar que nunca nos pertenceu. Como vivemos tão obcecados a querer ser o que o outro é, nada nos pode impedir de ter ou ser o que, na realidade, não nos pertence. Um dos grandes problemas do invejoso não é apenas que ele viva roído pela verdade do outro que deseja para si; o grande problema do invejoso também é que ele não se importa com a mentira de uma identidade que não é sua. A inveja leva a pessoa a lidar naturalmente com a falsidade.

Cristo, como alguém que se sacrifica, expondo-se pela verdade até ao ponto de sangrar, representa quem se dispõe a perder o que é seu por direito — Jesus está nos antípodas da inveja. Nós, tantas vezes consumidos por ela, fugimos da verdade a ponto de querermos ser quem nunca fomos e com direito a coisas que nunca nos pertenceram. Encontramos aqui um choque cósmico entre a inveja, que é prescindir da verdade para ser quem não somos, e o sacrifício, que é prescindir de quem somos pela verdade.

Como se resolve para o cristão este conflito entre sacrifício e inveja? Colocando-se o Filho verdadeiro no nosso lugar para que nós possamos tornar-nos filhos adotados: a vida de Cristo é perdida para que nós possamos ganhar a salvação, que não nos pertencia naturalmente. O Filho de sangue abre caminho para que outros possam ser filhos por adoção (e aqui regressamos ao conceito de adoção). Jesus, como aquele que com direitos naturais se sacrifica pelos que invejam o que não é seu, é a solução para a nossa inveja.

O teste da maternidade que Salomão precisou fazer foi resolvido pelo verdadeiro amor da mãe real, que se abriu à possibilidade de perder o seu filho. Nessa medida, o amor é o sinal da verdade vir ao de cima, despoletada pela aparência da crueldade. Se assim foi aqui, com Salomão e estas duas mulheres de má reputação, mais ainda foi com Jesus condenado à morte na cruz.

Se esta mãe sincera diante de Salomão é boa, Deus Pai é ainda melhor porque perdeu mesmo o seu filho. Logo, somos chamados a assumir que na nossa fé cristã as maiores provas de amor podem vir de mãos dadas com o que no imediato não parece justo. O mais importante não é o que reivindicamos ser nosso, como certeza que temos do que é bom ou mau: esse foi o papel da mulher mentirosa. O mais importante é dispormo-nos a que o sacrifício, com tudo o que pode parecer sanguinário nele, mostre que o verdadeiro amor não tem medo de perder. Cristo é a vitória final do amor que não teme dar-se.

12
Faz o teste da inteligência de Salomão

> Todo o Israel ouviu a sentença que o rei havia proferido; e todos tiveram profundo respeito ao rei, porque viram que havia nele a sabedoria de Deus, para fazer justiça.
>
> 1Reis 3.28

O contexto deste último verso que lemos é o do reconhecimento global da sabedoria divina existente no rei Salomão. O fato de Salomão ser justo cria um caminho de esperança nos problemas mais complicados que o povo pudesse atravessar. Ser sábio é, por isso, contar com dificuldades mas ter nelas a procura constante da justiça. Salomão conduziu-nos neste percurso para que, na prática, descubramos que a encarnação da mais sábia justiça está em Jesus.

Chegamos, então, ao último desafio deste estudo. Temos diante de nós vinte afirmações extraídas dos onze capítulos escritos a partir da sabedoria de Salomão em 1Reis 3. Elas funcionarão como valores de referência para o que é a verdadeira inteligência aos olhos da Bíblia. É tempo de acompanharmos esta leitura com um bloco de notas na mão!

1. Sem reconhecimento de imaturidade, não há real inteligência. De 1 a 5, como pontuarias o teu reconhecimento de imaturidade? Toma nota!
2. Para realmente perceber alguma coisa, temos de estar na Palavra de Deus, na Bíblia. A razão vem da revelação. Ser sábio é fundamentalmente ouvir ("*Shemá*, Israel"). De 1 a 5, como pontuarias o teu grau de permanência na Palavra? Toma nota!
3. Devemos ser prudentes em relação às paixões (vimos Salomão casado com a filha do Faraó por feito político e mais tarde perdido nos seus muitos casamentos). De 1 a 5, como pontuarias a tua prudência em relação a paixões? Toma nota!
4. Amar Deus liga-se à audição que lhe damos. De 1 a 5, como pontuarias a tua audição da

palavra de Deus como função de amá-lo? Toma nota!
5. Maturidade é não ter medo de precisar de um pai. De 1 a 5, como pontuarias a tua admissão de que sem uma orientação paternal não chegas lá? Toma nota!
6. O sacrifício é o reconhecimento de que quem manda é Deus mas que o mal que faço é responsabilidade minha. Talvez no que julgas mandar não mandes assim tanto, e no que julgas não ter controle possas ter algum. Não devo ser fundamentalista em relação à minha capacidade de fazer coisas acontecer, e não devo ser fatalista em relação ao que a vida faz comigo. De 1 a 5, como pontuarias o grau de fundamentalismo com os teus planos e o grau de fatalismo com o que a vida faz de ti? Toma nota!
7. Promessas de Deus são coroas para usarmos. De 1 a 5, como pontuarias o uso que fazes das promessas de Deus? Toma nota!
8. A qualidade do que desejo liga-se à disposição com que o apresento: devemos ser crianças a desejar, sem pretensões de autossuficiência. De 1 a 5, como pontuarias a tua propensão

para a autossuficiência ao desejares coisas? Toma nota!

9. Temer Deus, que é o princípio da sabedoria, envolve ele ser a nossa autoridade e temor. De 1 a 5, como pontuarias a autoridade simultânea ao amor que reconheces em Deus? Toma nota!

10. A sabedoria, sendo uma senhora na Bíblia, deve ser procurada com a excitação com que um marido deseja a sua mulher. De 1 a 5, como pontuarias o teu nível de excitação na busca por sabedoria? Toma nota!

11. A sabedoria pode até dar o que procuram as pessoas sem ela (saúde, dinheiro, sucesso), mas estas coisas deverão ser consequências e não causas porque foi assim que Jesus viveu. De 1 a 5, como pontuarias o teu desejo por saúde, dinheiro e sucesso? Toma nota!

12. Uma pessoa com discernimento derrama-se, em louvor, no lugar onde Deus faz as suas promessas (na sua palavra) — Jesus é a promessa cumprida. De 1 a 5, como pontuarias a exuberância do teu louvor? Toma nota!

13. Livramo-nos do erro de adorarmos o Deus certo da forma errada (porque esse erro

existe) sendo centrados na Bíblia. De 1 a 5, como pontuarias a fundamentação da tua adoração a partir das Escrituras? Toma nota!
14. Discernimento é um dom para colocarmos ao serviço dos outros (a lógica não é a promoção social da minha suposta inteligência). Devemos reconhecer a possibilidade de uma pulsão para querermos mostrar a inteligência aos outros. Discernir junto dos outros é sofrer com eles — Jesus fez isso por nós. De 1 a 5, como pontuarias a tua pulsão para quereres demonstrar inteligência aos outros? Toma nota!
15. Com Jesus ninguém está excluído de, no pior da sua vida, ser assistido pelo juiz mais perfeito. De 1 a 5, como pontuarias a coragem que tens em trazer até Deus em confissão aquilo que mais te envergonha? Toma nota!
16. O uso da verdadeira inteligência, pela palavra que é espada, é cirúrgico, verte sangue onde verdade e mentira se distinguem. De 1 a 5, como pontuarias a consciência que tens de verdade e mentira só se distinguirem com sangue? Toma nota!

17. Sem sangue encenamos uma justiça que não nos pertence. De 1 a 5, como pontuarias o modo como encenas ser mais justo do que és? Toma nota!
18. O verdadeiro amor, enquanto sinal de discernimento, abre-se para o sacrifício e não para a defesa da propriedade. De 1 a 5, como pontuarias a tua preferência em ter razão acima de sacrificá-la? Toma nota!
19. A inveja é querermos o que não é nosso mesmo que a verdade se perca. De 1 a 5, como pontuarias a tua inveja? Toma nota!
20. As maiores provas de amor podem vir de mãos dadas com o que parece injusto. De 1 a 5, como pontuarias a confiança que tens em amar sem o reconhecimento dos outros? Toma nota!

Uma nota final muito importante. Por muito bem que Salomão tenha vivido a sua vida até certo ponto, isso não o impediu de uma decadência futura. O teste da verdadeira inteligência não nos dá um número mas dá-nos Jesus.

Que ele nos ajude!

Sobre o autor

Tiago Cavaco é pastor da Igreja da Lapa, em Lisboa, Portugal. É formado em Ciências da Comunicação pela Universidade Nova de Lisboa. Músico, compositor e cantor, fundou, com Samuel Úria, a editora musical FlorCaveira. Pela Mundo Cristão, publicou *Arame farpado no paraíso*. Escreve regularmente em seu blog *Voz do Deserto* (vozdodeserto.blogspot.com) e é colunista do jornal *Observador*. É casado com Ana Rute e pai de Maria, Marta, Joaquim e Caleb.

Compartilhe suas impressões de leitura,
mencionando o título da obra, pelo e-mail
opiniao-do-leitor@mundocristao.com.br
ou por nossas redes sociais

Esta obra foi composta com tipografia Calluna
e impressa em papel Pólen Soft 80 g/m² na gráfica Eskenazi